SORTIE DE SECOURS
du Théâtre Petit à Petit
est le deux cent vingtième ouvrage
publié chez
VLB ÉDITEUR.

D1444283

Le Théâtre Petit à Petit est dirigé et administré par Marie-France Bruyère, François Camirand, René Richard Cyr, Annie Gascon, Claude Poissant et Denis Roy. Pascale Correia est responsable des relations publiques et Serge Caron est responsable de la direction technique.

Théâtre Petit à Petit

Sortie de secours

jeune théâtre

vlb éditeur

VLB ÉDITEUR
4665, rue Berri
Montréal, Qc
H2J 2R6
Tél.: (514) 524.2019

Maquette de la couverture:
Mario Leclerc

Photos:
Martin L'Abbé

Photocomposition:
Atelier LHR

Distribution en librairies et dans les tabagies:
AGENCE DE DISTRIBUTION POPULAIRE
955, rue Amherst
Montréal, Québec
H2L 3K4
Tél. à Montréal: 523.1182
        de l'extérieur: 1.800.361.4806

Données de catalogage avant publication (Canada)
Vedette principale au titre
        Sortie de secours
        2-89005-262-1
        I. Troupe de théâtre Petit à Petit. II. Titre.
PS8589.R68S67 1987   jC842'.54   C87-096099-7
PS9589.R68S67 1987
PQ3919.2.T76S67 1987

©VLB ÉDITEUR & François Camirand, 1987
Dépôt légal — 2e trimestre 1987
Bibliothèque nationale du Québec
ISBN 2-89005-262-1

SORTIE DE SECOURS
de
Louise Bombardier, Marie-France Bruyère,
François Camirand, Normand Canac-Marquis,
René Richard Cyr, Jasmine Dubé,
Louis-Dominique Lavigne, David Lonergan et
Claude Poissant
a été créée le 3 octobre 1984
à la Maison de la Culture Marie Uguay
à Montréal
par le Théâtre Petit à Petit
dans une mise en scène de
René Richard Cyr et Claude Poissant
une scénographie de Michel Demers
des musiques de Gérard Leduc
des éclairages et la régie de Laurent Bussières
avec
Louise Bombardier, Annie Gascon, Benoît Lagrandeur,
Denis Roy et Lucie Routhier.

Les rôles de Line (Annie Gascon) et de Michel (Denis Roy)
ont été repris par Monique Richard et Roger Larue.

Présentation

Le Théâtre Petit à Petit, collectif de théâtre, est né à la fin de 1977. Ses objectifs, alors vagues, et son fonctionnement, quelque peu anarchique au début, se sont précisés au fil des années 80, grâce à une expérience accrue, et à une volonté de fouiller, d'explorer la modernité du théâtre, tout en gardant un contact privilégié avec le public.

Ce contact nous a permis de rejoindre, au fur et à mesure des créations, un public plus vaste, prêt à s'initier à de nouvelles grilles d'analyse théâtrale, prêt à se divertir tout en s'impliquant émotivement.

La raison d'être du Petit à Petit a toujours été de faire un théâtre qui allie les différentes formes d'art d'interprétation, un théâtre branché directement sur le contexte social de l'instant présent, source de nos inspirations, tant verbales et visuelles que sonores. Somme toute, la démarche du Petit à Petit, malgré sa structure, laisse une grande place à l'intuition. Les tâches y sont multiples. Et les créateurs de la troupe se sont toujours préoccupés de la qualité de l'écriture et des innovations en matière de mise en scène.

Lors de la création de *Où est-ce qu'elle est ma gang?*, le Petit à Petit a défini clairement ses deux pôles de création, soit le théâtre pour adolescents, en tournée, et les spectacles en salle fixe qui s'adressent au grand public.

Depuis 1980, certains spectacles ont particulièrement fait

parler d'eux. Citons *Tournez la plage, Passer la nuit, Défendu*, de Claude Poissant, *Girafes*, de Réné Richard Cyr, *Les Cauchemars du grand monde*, de Gilbert Turp (pour ses trois mises en scène et fragments avec les mêmes interprètes), *Bain public* (pour sa forme de cabaret social), *Où est-ce qu'elle est ma gang?*, de Louis-Dominique Lavigne, *Volte-face*, de François Camirand et René Richard Cyr, et *Sortie de secours*. Ces trois dernières pièces sont certainement parmi les spectacles les plus achevés du théâtre québécois pour adolescents.

Près de dix ans après sa création, le théâtre Petit à Petit poursuit sa recherche, à l'affût de nouvelles formes, de nouvelles propositions d'écriture — du réalisme à l'insolite, de l'onirique au fictif —, avec un public qui l'appuie et le suit de plus en plus.

Le théâtre pour adolescents, un plaisir nécessaire

Pourquoi le public adolescent? Parce qu'il est le public le plus direct et le plus directement concerné par le changement, l'avenir. Parce que c'est également le public qui, malgré toutes les influences dues à son éducation, aux modes et aux choix de société qu'on lui propose, est le plus apte à inventer son plaisir, à apprécier l'excès, la démesure, à débâtir toutes les structures et tous les cadres qui freinent l'évolution de la pensée.

L'adolescent, par ses comportements spontanés et déroutants, est celui qui pose les questions les plus pertinentes à propos de l'avenir de la planète et des dangers qui nous guettent. Il est un public à la fois méfiant et ouvert, assumant ses contradictions, attendant impatiemment un spectacle divertissant par lequel il se sentira concerné parce qu'il en aura décidé ainsi. Un public fragile. Émotif. Et qui fait peu de concessions.

Vous reconnaîtrez, nous l'espérons, à travers la lecture de *Sortie de secours*, des personnages et des situations proches d'une réalité qui vous concerne.

Nous souhaitons également que *Sortie de secours* vous fera sourire, et même rire, et que les sentiments qui émergent de ce tableau de la vie actuelle vous toucheront.

Bonne lecture!

LE THÉÂTRE PETIT À PETIT

PORTRAITS DES PERSONNAGES

Les portraits des personnages de *Sortie de secours* tracés ci-après correspondent aux visions très personnelles qu'ont, de ces personnages, les créateurs du spectacle. On peut être d'accord, les contredire ou les compléter...

MICHEL

Michel est impulsif. Il n'a aucun contrôle sur lui-même. Il a besoin de crier pour se faire entendre et ne se rend pas compte qu'il est encore moins entendu quand il crie. Michel est un rêveur, un idéaliste, qui n'a aucun outil pour structurer sa pensée et réaliser ses rêves.

Il est susceptible, agressif à tout propos, joue avec une image de lui-même qui se veut mâle, macho, voire dangereuse, mais, au fond, c'est un faible. C'est un doux qui refuse de s'assumer. Il a un grand besoin des autres mais il établit des relations de pouvoir avec eux, pouvoir qu'il ne prend jamais.

Sa seule complicité réside dans son amitié avec Marc mais il n'a pas la maturité de ce dernier. Avec sa famille, il est tout en honte, tout en haine, tout en animosité et sa seule arme est le silence. Ses parents sont des stéréotypes et Michel demande le droit à la différence.

MARC

Marc est le seul véritable fugueur. Il a décidé de prendre

sa vie en main. Il déteste que l'on prenne des décisions à sa place. Il se réfugie sous son walkman lorsqu'il se sent agressé par son environnement immédiat. Il s'est fabriqué une image de gars «cool» mais il reste très secret et ne confronte ses émotions avec les autres que dans des situations extrêmes où il n'a d'autre choix que d'exploser.

Cependant, Marc sait «dealer» avec la solitude et, ce, par obligation, ayant toujours été en mal de vivre dans son contexte familial. Il ne veut pas être la victime que sa mère a toujours été, ni l'exploiteur émotif qu'est son beau-père.

Pour survivre, Marc fait de la prostitution. Il trouve, à la Maison des Jeunes, une mince sécurité émotive qui ne comblera jamais les trous creusés par son milieu familial et économique.

LINE

Line est «bosseuse», elle se donne des responsabilités. Elle est maternelle pour avoir le pouvoir. Elle tient à être le leader. Elle a peut-être, par conséquent, un statut particulier à l'intérieur de la gang (?).

Line se permet ce qu'elle ne permet pas aux autres. Elle décide pour les autres mais refuse que l'on décide pour elle. La première image de Line est celle d'une personne fâchée: «Qui a écrit 'fuck'?» Étant responsable de la décoration à la Maison des Jeunes (ce qu'elle rappelle souvent), ce «fuck» est un affront à son autorité, il a échappé à son contrôle.

Line est consciente de la valeur de l'argent. Elle est prête à accorder du crédit aux autorités, mais seulement quand ça fait son affaire. Sa grande «chum» à la Maison des Jeunes, c'est Danielle.

Il est évident qu'elle ne tire aucune satisfaction de «sa job» sinon l'argent. Elle refuse d'être comme tout le monde, tient à être marginale. Le manque d'argent lui enlèverait du pouvoir. À son emploi, elle est de mauvaise foi parce qu'écœurée. Elle a besoin de travailler à quelque chose dans lequel elle croit. Elle a besoin des autres et peur de la solitude.

DANIELLE

Danielle est en révolte contre toute forme d'autorité. Sa réflexion est faite depuis belle lurette et son jugement face au pouvoir est radical. Elle a un tempérament naturel de leader dont elle ne se sert donc pas. Elle s'adapte aux situations diverses sans trop d'anicroches.

Danielle aime l'illégalité, l'immoralité, mais conserve une attitude assez mature avec les autres jeunes. Cependant, face aux adultes, elle est déroutante, inquiétante, tellement particulière qu'on la redoute. Néanmoins, l'argent suscite en elle un degré d'insécurité qu'elle réussit à braver en exigeant de son entourage une aide monétaire régulière.

Elle a probablement une famille troublante et semble s'être déjà promenée de maison en foyer. La fugue qu'elle vit ici est le fruit d'une imagination nourrie par des expériences personnelles assez considérables dans l'univers de la délinquance. Danielle est imprévisible et elle en est fière.

SYLVIE

Sylvie est une introvertie, une maladroite qui, pour s'intégrer au groupe, parle et invente continuellement des histoires qui sont toujours arrivées à d'autres. Un rien peut provoquer chez elle une crise et, le sachant, elle cherche un contrôle qui la rend profondément inintéressante aux yeux des autres, et immature. D'où la paranoïa qui ajoute à l'inconfort social qui l'habite déjà.

Sylvie devient vulnérable dans son approche des autres. Elle n'a d'autre arme que de disparaître dans un coin de la Maison des Jeunes et d'y réfléchir à son malheur.

Elle cherche, dans les études, les anecdotes et les comportements des autres, des points d'intérêt qui lui feront oublier sa famille incestueuse. Ses relations avec son père et sa mère sont intolérables. Elle en éprouve une honte et une culpabilité qui ne l'entraîneront que très tard à dévoiler son horrible secret.

<table>
<tr><td>PERSONNAGES PRINCIPAUX</td><td>DISTRIBUTION</td></tr>
<tr><td>Sylvie Beaudoin</td><td>Louise Bombardier</td></tr>
<tr><td>Marc Bernatchez</td><td>Benoît Lagrandeur</td></tr>
<tr><td>Line Lemieux</td><td>Annie Gascon</td></tr>
<tr><td>Michel Poitras</td><td>Denis Roy</td></tr>
<tr><td>Danielle Tanguay</td><td>Lucie Routhier</td></tr>
</table>

PERSONNAGES COMPLÉMENTAIRES

Guylène Poitras
Johanne Poitras
Paul Poitras
Charlotte Bernatchez
Denise Brisebois
Yvonne Lagarde
Gérard Lepage
Claude McDonald
Le Chœur
Policier 1
Policier 2
Bernard Beaudoin
Lucie Roy-Beaudoin
François Blouin
Catherine Dubuc

CHANSON D'OUVERTURE

Tu t'pompes
Tu t'fâches
J'me grouille
Tu m'pousses
On court
Vous hurlez

On fonce
On achale
On agace
On dérange
Pis on change de place

Où tu vas comme ça
Où tu vas comme ça

On change de place
Pis on s'tanne
On lâche
On s'arrête
On s'tait
On abandonne

On abandonne
Quessé qu'ça donne
Han han quessé qu'ça donne
C'est toujours pareil

Où tu vas comme ça
Où tu vas comme ça

J'y ai pensé, j'y ai pensé
Je l'ai fait, je l'ai fait
Je l'ai dit ben oui
Tu me niaises
J'ai pas sept ans

Où tu vas comme ça
J'y ai pensé, j'y ai pensé
Où tu vas comme ça
Je l'ai fait, je l'ai fait.

Bloc 1

*Sylvie, Marc, Michel et Danielle peignent la murale.
La musique est très forte. Marc écrit discrètement
«fuck» dans un coin de la murale. Pour se parler, ils
hurlent.*

DANIELLE
Michel, t'aurais pas deux piastres à m'passer?

MICHEL
J't'entends pas!

SYLVIE
T'aurais pas deux piastres à y passer?

Michel grimace un énorme «non» muet.

DANIELLE
Toi Marc?

MARC
Han?

DANIELLE
T'aurais pas deux piastres?

MARC
J't'entends pas.

DANIELLE
Niaise-moi donc.

MARC
Ah! non… ça m'tente pas.

Line entre et regarde la murale.

LINE
Qu'est-ce que vous avez fait là?

SYLVIE
Quoi?… parle plus fort!

LINE
Qui qui a fait ça?

DANIELLE
Quoi?

LINE
(*Indiquant la murale.*) Ça.

DANIELLE
Marc, veux-tu baisser l'volume!

MARC
Han?

DANIELLE
LE VOLUME!

Marc se dirige vers le système de son et augmente volontairement le son.

SYLVIE
Pas plus fort, épais, MOINS FORT!

MARC

(*Fermant l'appareil.*) Hey! Le volume toi avec, ch'pas sourd.

MICHEL

On t'a pas dit d'le fermer.

DANIELLE

Ouin.

LINE

Qu'est-ce que vous êtes en train de faire là?

MICHEL

La murale.

LINE

Je l'vois ben. C'est qui qui a peinturé ça «fuck»?

MICHEL

Je l'sais-tu moi!

Tous regardent Sylvie.

LINE

(*À Sylvie.*) C'tu toi?

SYLVIE

C'pas moi... J'dis jamais ça «fuck».

MICHEL

Ouin, mais tu l'écris peut-être!

LINE

Hey shit. C'te murale-là est à nous autres. Ceux qui veulent travailler y travaillent, ceux qui veulent niaiser, y débarrassent.

MARC

On va être obligé d'dealer avec ça.

LINE

M'as aller l'voir l'animateur, moi, shit.

SYLVIE

Ça f'ra pas disparaître la peinture.

LINE

Écoute-moi ben, Sylvie Beaudoin... Moi, ça fait deux ans que j'viens icitte pis astheure c'est moi qui est responsable de la décoration des murs à Maison des Jeunes.

MICHEL

Moi, j'vois pas pourquoi c'est toi. L'année passée, t'étais la première à tout' défoncer.

LINE

On l'a décidé en gang que c'tait moi. Si t'avais queq'chose à dire, t'avais juste à t'ouvrir la yeule quand c'tait l'temps.

MICHEL

Quand c'tait l'temps! Va donc l'savoir, toé, quand c'est l'temps.

DANIELLE

T'as juste à prendre ton pinceau, Line.

LINE

Pis?

MARC

Pis tu peintures par-dessus le «fuck»!

MICHEL

Avec du bleu.

SYLVIE

Moi, j'ai un cousin qui a écrit «fuck» sur le mur de la chambre de ses parents.

LINE

Pis?

SYLVIE

Ses parents l'ont obligé à remettre une deuxième couche.

LINE

Pis?

SYLVIE

Y'é con.

MARC

C'est quand même plus drôle écrire sur un mur que dans un cahier.

SYLVIE

C'est toi qui l'dis.

MICHEL

Y'en a-tu du bleu?

MARC

Han?

SYLVIE

D'mande à l'animateur.

LINE

Ouin shit, va donc l'voir.

MICHEL

M'tente pas.

DANIELLE

M'semblait que c'tait toi, Line, qui voulais aller l'voir t'à l'heure.

SYLVIE

Ouin.

DANIELLE

Après tout, c'est toi la responsable d'la décoration d'la Maison des Jeunes.

MICHEL

J'veux du bleu!

DANIELLE

Ah! toi… change de toune.

MICHEL

(*S'arrêtant de peinturer.*) Chu tanné.

MARC

C'est ça, lâche tout'.

MICHEL

Ça qu'm'a faire.

DANIELLE

Ouin, vas-y donc travailler en Alberta.

SYLVIE

Ou ben juste visiter si tu veux.

DANIELLE

Ça nous donnerait un break.

MICHEL

Chu tanné. Écœurez-moi pas.

MARC

Va prendre de l'air.

LINE

Rentre donc chez vous.

MICHEL

(*En crise.*) Chez nous, c'est toujours la même affaire de fou. Chu tanné. J'veux sortir, j'veux sortir, j'veux sortir, j'veux sortir, J'VEUX SORTIR.

> *Tous se regardent. Prise pour l'immobiliser. Agression sur Michel.*

LINE

C'est moi, Michel... ta blonde.

MICHEL

C'pas toi.

LINE

Comment ça?

MICHEL

Ta voix.

LINE

Pourquoi tu me r'gardes pas?

DANIELLE

T'as honte de me r'garder dans les yeux?

SYLVIE

Pourquoi tu cries tout' l'temps?

MARC

Pourquoi tu foxes tes cours?

LINE

Pourquoi tu veux partir?

DANIELLE

Pourquoi tu pars jamais?

MARC et SYLVIE

R'garde-moi!

DANIELLE et LINE

R'garde-moi!

SYLVIE

Ta mère le sait-tu pour la dope?

LINE, MARC et DANIELLE

Tu l'montres-tu à ta mère c'que tu piques?

TOUS

(*En le poussant par terre.*) MICHEL!

> *Michel sort son jack-knife de sa poche. Les autres ont un mouvement de recul.*

SYLVIE

Toi, ton problème, y'est entre ton oreille gauche pis ton oreille droite.

> *Line, Marc et Sylvie s'enfuient. Danielle va au micro pour le rap. Michel danse.*

RAP 1

Un jack-knife, un bat' de baseball.
Une barre de fer qui scrappe un char.

Bloc 2

On se retrouve dans la cuisine, chez la famille de Michel.

MÈRE

Ouan! Bon ben c'est ça, hein! Bon ben, à matin, y'a l'air à faire beau. Ah! ben non, y fait pas beau. (*Un temps.*) Ben oui, y fait beau. (*Un temps.*) Ben non. (*Un temps.*) Cou donc, y fait-tu beau oui ou non?

PÈRE

Hein!

MÈRE

Y fait-tu beau oui ou non?

PÈRE

(*Évasif.*) Hein! Ah!... Ben je l'sais pas là. J'ai pas encore regardé...

MÈRE

Y fait beau bon. J'viens de décider ça.

PÈRE

Ah! bon... Ben si tu viens de...

MÈRE

À matin, il fait beau partout. Dehors. Dans maison. En dedans de nous. Y fait beau.

PÈRE

Tant mieux pour nous. J'suis content d'apprendre ça.
Grâce à toi, ma chérie, y fait toujours beau dans maison.
Hein les jeunes?

Pas de réponse. Les jeunes continuent de manger.

PÈRE

Tu vois! Les jeunes sont d'accord avec moi.

MÈRE

En attendant, passe-moi donc l'beurre, Paul, s'il te plaît.

PÈRE

Tiens, Michel!

Michel ne répond pas.

PÈRE

Bon. Tiens, Guylène. Passe donc le beurre à ta mère.

MÈRE

Ah! pis tiens. Tant qu'à y être. Passe-moi donc le couteau
à beurre pour étendre mon beurre.

PÈRE

Euh Michel…

Même absence de réaction.

PÈRE

Bon, c'est ça, réponds pas à ton père. Guylène, passe le
couteau à beurre à ta mère pour qu'a puisse étendre son
beurre.

Guylène passe les objets sans dire un mot.

MÈRE

Merci, Guylène... Ah! ben, tiens, Paul, passe-moi donc une toast pour que mon couteau à beurre étende son beurre sur queque chose.

Paul passe la toast à Guylène qui la remet à sa mère.

PÈRE

Tiens!

MÈRE

(*Elle étend son beurre rapidement.*) Merci!

PÈRE

Bon ben... passe-moi donc le beurre maintenant que t'en as fini...

MÈRE

Merci... euh... j'veux dire tiens.

Même jeu avec Guylène.

PÈRE

(*Parlant très rapidement.*) Merci. Passe-moi l'café. Passe-moi le sucre. Passe-moi la cueillère pour mettre mon sucre dans l'café. Passe-moi le bol de céréales. Passe la boîte de céréales pour mettre des céréales dans mon bol de céréales. Passe-moi le lait pour mettre du lait dans l'bol de céréales.

MICHEL

(*Poussant un cri long et soutenu.*) AAAAAAAAAAAAAH!

PÈRE

Oui, Michel? Tu veux parler, mon Michel? On t'empêche

de parler, mon Michel? Ben parle, voyons. Tu l'sais qu'on t'écoute tout l'temps quand tu veux parler. Ça fait que parle parle parle. On est tes parents. Ça fait que tu peux parler, mon grand. Ça fait que vas-y, parle parle parle.

GUYLÈNE

Moi, j'ai fini de déjeuner.

PÈRE et MÈRE

HEIN!

GUYLÈNE

J'ai fini de déjeuner.

PÈRE

Ah! bon... tant mieux pour toi... c'est...

MÈRE

Tout naturel...

PÈRE

C'est ça... c'est tout... c'est tout ça.

GUYLÈNE

C'tait assez bon... c'tait assez beau... j'ai beaucoup, beaucoup aimé ça. Le beurre, le couteau à beurre, la toast, les céréales d'la boîte de céréales dans l'bol de céréales, le café, le sucre dans l'café, la cueillère à sucre dans l'café, le lait dans l'café. Ah! c'tait bon!

MÈRE

Tant mieux.

GUYLÈNE

C'tait trop bon.

MÈRE

Tant pis, ça arrive dans les meilleures familles, hein Paul?

PÈRE

Ça arrive dans les meilleures.

GUYLÈNE

Bon, ben j'y vas.

MÈRE

Un cas de réglé.

PÈRE

Un enfant de placé.

MÈRE

Pus d'trouble.

PÈRE

Ça été dur.

MÈRE

Ça été très dur de l'élever, c't'enfant-là, mais c'est fait' maintenant.

GUYLÈNE

Bon, j'me lève là.

MÈRE

Fais donc ça.

GUYLÈNE

C'est faite.

MÈRE

Bravo, ma grande.

GUYLÈNE

J'marche.

MÈRE

Parle-moi de ça. Hey Paul! notre fille marche.

PÈRE

Hein? ma fille marche!

MÈRE

Ben non. Ta fille marche sur le plancher.

PÈRE

Y'a rien là. C'est quoi l'drame?

MÈRE

Y'en a pas de drame. J'disais ça comme ça. J'vois pas ce que je pourrais dire d'autre.

GUYLÈNE

Bon ben... j'y vas là. Salut, man, salut pa.

PÈRE et MÈRE

C'est ça... bonne journée.

MÈRE

Bon ben... moi aussi j'y vas.

PÈRE

(*Comme un discours électoral.*) C'est ça. Faut y aller. Tous les matins de la semaine. On n'a pas le choix. C'est ça qui est ça. On est très chanceux de pouvoir tous les matins s'en aller queque part.

Applaudissements.

PÈRE

Pis de savoir où c'qu'on s'en va.

Applaudissements.

PÈRE

Mais où c'qu'on s'en va donc? (*Interrogation.*) C'est pas de mes troubles, O.K. là. Parce que moi, je sais où c'que j'm'en vas, bon. C'est-tu clair?

Applaudissements. Michel reste assis.

PÈRE

Michel... tu te lèves pas? Tu vas pas en queque part à matin. Tsé, j'veux pas m'mêler de tes affaires... mais t'as pas des choses à faire? En d'autres mots, pour parler franchement... t'as pas d'école à matin? R'marque que t'es libre de faire c'que tu veux quand tu veux, où tu veux, avec qui tu veux...

Mais t'as pas des cours à suivre, me semble, à matin? T'as pas queque chose à faire là... par hasard... j'sais pas... me semble... Ben dis queque chose... fais queque chose... réponds queque chose.

MICHEL

Hein!

PÈRE

Réponds queque chose...

MICHEL

Oui.

PÈRE

Enfin. J'ai hâte d'entendre ça. J'ai ben hâte d'entendre ça. T'as-tu hâte d'entendre ça, Johanne? Tu vois, ta mère a hâte d'entendre ça, elle aussi. Bon ben, vas-y, on t'écoute.

MICHEL

Quoi?

PÈRE

Ben, t'as pas queque chose à faire à matin?

MICHEL

Queque chose à faire? Ah! oui oui oui. Ben oui. C'est ben que trop vrai. J'ai queque chose à faire à matin.

MÈRE

T'as un avenir à préparer.

PÈRE

T'as tout un monde à conquérir.

MÈRE

La vie t'appartient.

PÈRE

T'es jeune.

MÈRE

T'es fort.

PÈRE

T'es toute.

MÈRE

T'as toute pour réussir.

PÈRE

Ça fait que tu peux te lever mon fils.

MÈRE

Comme ta petite sœur tout à l'heure. Si ça te tente évidemment. Parce qu'on voudrait pas te...

PÈRE

(*D'un ton autoritaire.*) Brusquer.

MÈRE

Mais rappelle-toi qu'il n'est jamais trop...

PÈRE

Tôt...

MÈRE

Pour bien faire les choses. Parce que tu l'sais, le monde appartient à ceux qui se lèvent...

PÈRE

Tôt.

MÈRE

Mais y'est jamais trop...

PÈRE

Tard...

MÈRE

Pour se lever...

PÈRE

Tôt.

MICHEL

Bon ben O.K.! J'me lève.

Michel se lève.

PÈRE

Bon. Y s'est levé. Bravo! Y's'est levé.

MÈRE

Ben oui. Je l'sais. Je l'vois ben qu'y s'est levé.

Michel se rassoit.

PÈRE

Non.

MÈRE

Hein!

PÈRE

Y vient de se rasseoir.

Michel se relève.

MÈRE

Pis là, y se r'lève.

PÈRE

Y s'rassoit.

MÈRE

Y se r'lève.

PÈRE

Y s'rassoit.

MÈRE

Mais qu'est-ce qu'y lui prend?

PÈRE

Je l'sais ben pas. Michel est très bizarre à matin.

MÈRE

Tant pis. Y'a l'droit d'être bizarre quand ça y tente.

PÈRE

C'est vrai. Michel est libre de faire c'qu'y veut quand y veut où y veut avec qui y veut si y veut. (*Pour lui-même.*) Me semble que j'ai déjà entendu ça queque part? En tout cas. J'ai toujours été pour une éducation très très cool avec mon gars. Et je l'avoue en toute humilité, je suis fier de moi. C'est une réussite.

MÈRE

Es-tu sûr de c'que t'avances?

PÈRE

PAS DU TOUT. C'est ça le drame.

MÈRE

Le drame! quel drame? J'vois pas où est le drame.

PÈRE

Moi non plus. C'est ça qui est encore plus dramatique.

MÈRE

Bon ben j'y vas.

PÈRE et MÈRE

Tu y vas?

PÈRE

(*En secret à la mère.*) Tant mieux. J'ai eu peur.

MÈRE

Moi aussi.

PÈRE

J'me suis imaginé tellement de choses pendant une fraction de seconde. L'échec. Le flop.

MÈRE

Moi aussi.

PÈRE

Tu sais, Johanne. C'est dur des fois d'être le père de ton fils.

MÈRE

Je l'sais ben que trop, Paul. Mais fais-toi z'en pas. C'est presque fini la passe heavy qu'on a à vivre avec lui. J'te l'dis. Encore deux ans. Pis y est parti pour la vie. Pus d'trouble.

PÈRE

J'ai assez hâte.

Michel vient pour sortir.

PÈRE

Euh... Michel...

MICHEL

Quoi?

PÈRE

Ben, c'est pas de mes affaires. Mais t'apportes pas ton sac d'école avec toi?

MICHEL

Hein? Mon sac d'école! Ah! c'est vrai, mon sac d'école... ben non... je l'apporte pas mon sac d'école.

MÈRE

Ah! bon... pis pourquoi c'est faire que tu l'apportes pas ton sac d'école?

MICHEL

Parce que j'en n'ai pas besoin. C'est toute.

PÈRE

Ah! bon. Y a pas besoin de... bon bon... y'en n'a pas besoin... Non mais qu'est-cé que tu veux qu'on réponde à ça... hein? Y dit qu'y en n'a pas besoin. Y est tellement Jo

Connaissant. Hein! après toute. Y connaît tellement toute, notre grand garçon. Y est tellement savant.

(*Se fâchant.*) Ben non, y connaît rien. C'est un ignorant de la pure espèce. C'est quoi c't'affaire-là, Michel? Me semble que quand on va à l'école, on apporte son sac d'école. Me semble que c'est logique.

> *Paul va chercher le sac.*

PÈRE

Tiens! Prends-lé.

MICHEL

Merci popa. J'te remercie beaucoup. (*Comme une déclaration ridicule.*) Sans toi, je l'sais pas ce que je deviendrais. Adieu, popa. Adieu, moman.

PÈRE et MÈRE

C'est ça, adieu!

> *Michel dépose son sac et s'apprête à sortir.*

PÈRE

Ton sac, Michel... qu'est-cé que je viens de dire. Cou'donc, j'ai-tu parlé pour les murs, moi là... Ton sac!

MICHEL

J'm'en sacre de mon sac.

PÈRE

Oh! ben mon p'tit sacra...

MÈRE

Sacre pas, Paul. Sacre pas, mon Popaul.

PÈRE

J'sacre pas. Bon. Mais chu en sacra…

MÈRE

O.K.!… on a compris stie.

PÈRE

Non. Mais te rends-tu compte de c'qu'y s'passe, Johanne.
Mon fils, ton fils. Notre fils est en train de devenir un…
un… un…

MÈRE

Un quoi?

PÈRE

Un… un…

MÈRE

Fais attention à c'que tu vas dire, Popaul. On l'sait donc
pas c'qui est en train de devenir. On l'sait pas. T'exagères.
Tu fabules. Si y prend pas son sac, ça veut pas nécessaire-
ment dire qu'y veut… qu'y va… qu'y veut qu'y va… Je
l'sais-tu c'qu'y veut c'qu'y va? Je l'sais pas. Pis tu l'sais
pas. Pis on l'sait pas, bon. Ça s'peut que ce soit une journée de loisir, aujourd'hui. Je l'sais-tu, moi? Non, je l'sais
pas. Pis toi non plus, tu l'sais pas. Ça se peut que ce soit
une journée de congé, une journée de break. Une journée
spéciale. Une journée différente. Une journée pour respi-
rer. Une journée pour réfléchir. Je l'sais-tu, moi. Ben
parle, Michel! Dis queque chose. Défends-toi, mon p'tit
gars. Parle! C'est quoi c't'affaire-là? Tu prends pas ton
sac?

MICHEL

Non.

MÈRE

Pourquoi?

MICHEL

Pour rien. Ça me l'dit pas aujourd'hui. C'est toute.

PÈRE

C'est ça. Tu veux pas y aller où c'est qu'y faut que t'ailles... c'est ça, hein?

MICHEL

C'est ça.

PÈRE

C'est ça.

MICHEL

C'est ça.

PÈRE

Ah! comme ça, c'est ça?

MICHEL

C'est ben ça.

PÈRE

Bon ben, c'est ça. Vas-y, mon gars. Vas-y bummer dehors.
Foxe l'école, mon grand flanc mou. Fais-lé ton trip de p'tit
trou d'cul. Mais r'viens plus icitte, O.K.! C'est fini entre
nous deux.

MÈRE

Hey! Wow, Paul! Tu trouves pas que tu y vas un peu fort,
non?

PÈRE

Non.

MÈRE

Ptête que Michel vit une passe difficile. Tsé à son âge... y paraît que c'est heavy des fois...

PÈRE

Pourquoi que ça serait plus heavy maintenant qu'avant? On y a toute donné. Y'a toute c'qu'y veut depuis qu'y est tout p'tit... Y lui manque rien... Pis plus tard, y va pouvoir faire toute c'qu'y veut faire dans vie... toute c'qu'y veut f... toute c'qu'y... ouais.

MICHEL

Bon ben salut!

PÈRE

C'est ça.

PÈRE et MÈRE

Salut!

MICHEL

M'as rev'nir souper!

PÈRE

C'tu vrai ça, mon Michel?... Tu vas rev'nir souper... Hey! Johanne, Michel va rev'nir souper.

MÈRE

Je l'sais, Paul, j'viens de l'entendre pareil comme toi... Euh... Essaye de t'amuser quand même un p'tit peu, hein Michel?

MICHEL

Oui m'man. Salut p'pa.

Le père et la mère sortent.

MICHEL

Oui m'man... salut p'pa... bye... oui p'pa... salut... bye.

Il répète toujours la même chose comme s'il était accroché.

MICHEL

Non m'man... bye... oui p'pa... salut m'man... oui bye p'pa... Ah! chu tanné... Non bye... Oui salut.

Il va à l'écart et répète toujours faiblement. Line entre pour peindre la murale.

Bloc 3

Line entre et regarde Michel qui réfléchit à voix haute. Sylvie étudie à voix haute.

MICHEL

Non p'pa… Oui m'man.

SYLVIE

Au sud de l'Himalaya et de la jungle marécageuse qui le borde…

MICHEL

Bye m'man…

DANIELLE

J'trouve pas l'noir!

LINE

Amène du blanc… ça va faire pareil.

SYLVIE

Depuis quand l'blanc pis l'noir c'est pareil? Entre les grandes vallées parallèles du Gange…

Regard hostile de Line.

MICHEL

Oui, oui, m'man.

DANIELLE
Tiens, ça c'en est du blanc... mais la canisse a date.

SYLVIE
Himalaya... Gange.

MICHEL
Oui oui... Non non, p'pa...

DANIELLE
Qu'est-ce que t'as à marmonner?

MICHEL
Rien! Chu jammé sur queque chose.

SYLVIE
Vallées parallèles du Gange et de ses affluents...

LINE
Qu'est-ce tu lis là?

SYLVIE
Les notes de cours à Marc.

LINE
Si c'est les notes à Marc, moi j'me fierais pas.

SYLVIE
Y les a empruntées à Michel.

DANIELLE
C't'encore pire.

MICHEL
HEY!

DANIELLE
T'es ben susceptible!

MICHEL

De toute façon, j'les ai empruntées à Manon.

LINE

À Manon! Comment t'as fait?

DANIELLE

A l'a l'kick dessus.

SYLVIE

Manon?

DANIELLE

Tu l'savais pas? C't'assez évident.

SYLVIE

Ben... j'm'en doutais là.

LINE

Toi, t'es menteuse.

SYLVIE

Cou'donc, toi... tu travailles pas au McDonald aujour-d'hui?

LINE

Parle-moi pus jamais de c'te job-là... pis?

DANIELLE

C'est ben que trop sec. P'tête qu'en mettant de l'eau d'dans...

LINE

M'as aller voir l'animateur, moi shit. J'peux pas croire que la Maison des Jeunes peut pas nous payer une canne de blanc. J'peux pas croire!

MICHEL
Ben moi, j'peux l'croire.

Line va pour sortir.

DANIELLE
M'as y aller avec toi. Y'a peur de moi.

Danielle et Line sortent.

MICHEL
C'pas du noir que ça prend. C'est du bleu.

SYLVIE
Comme ça... Manon pis toi...

Michel ne répond pas.

SYLVIE
... s'étendent les Mésopotamies fertiles.

MICHEL
C'est ça... étudie.

SYLVIE
(*Haussant le ton.*) D'ouest en est, le climat montre toutes les transitions... les mêmes champs peuvent porter deux récoltes... Karif et Rabi...

MICHEL
Ça s'fume-tu?

SYLVIE
Hein?

MICHEL

Ça se fume-tu?

SYLVIE

Y'é con.

Marc entre avec son walkman sur la tête. Très fort.

MARC

T'es là, toi. Michel, maudit! Tu m'avais dit de te rejoindre
au McDonald.

MICHEL

As-tu attendu longtemps?

MARC

Han?

SYLVIE

Enlève ton walkman, épais!

MARC

(*Hurlant.*) Ça fait une heure que je t'attends.

MICHEL

Parle moins fort.

Marc enlève son walkman.

MICHEL

J'ai oublié.

MARC

T'as oublié, niaiseux. Pis moi?

MICHEL

Hey! si t'es pas content.

Un temps.

MARC
Où y sont les autres?

SYLVIE
Sont parties voir Martin.

MICHEL
Le nouveau qui travaille icitte.

MARC
Celui qui s'occupe des activités?

MICHEL
Ouin.

MARC
J'savais pas qu'il s'appelait Martin.

Un temps.

MARC
C'pas pire, la murale. J'aime ça avec «fuck».

MICHEL
C'pas toi par hasard? Me semble que toi, t'écrivais ça partout «fuck»... «fuck» sur ton sac, «fuck» sur ton bureau, «fuck» sur ton jean jacket...

MARC
Fuck-moi donc la paix... c'pas moi.

SYLVIE
C'pas moi non plus... chu pas bonne dans la peinture.

MICHEL

Pas besoin d'être bonne. Tu pognes ton pinceau pi tu beurres.

MARC

Tu viens-tu aux video games?

MICHEL

Pour encore se faire mettre dehors tu-suite?

MARC

Si t'es cool, le bonhomme est cool.

SYLVIE

Michel cool!

MICHEL

M'tente pas.

MARC

T'es ben down.

MICHEL

Marc, j'vas m'en aller.

MARC

M'as faire un bout' avec toi.

MICHEL

Non... j'veux dire m'en aller... partir.

MARC

Où... partir où???

MICHEL

En Alberta. C'est payant là-bas.

MARC

T'as même pas une cenne pour te rendre.

MICHEL

J'vas te vendre mes disques… Tu vas les acheter?

MARC

Ptête.

MICHEL

Marc, y faut que j'parte, j'en peux plus.

MARC

Tu vas t'faire pogner comme moi.

SYLVIE

Pis comme ma cousine.

MICHEL

Gages-tu que non? M'as me déguiser.

Sylvie rit.

MICHEL

M'as me déguiser.

Sylvie rit de plus belle.

MARC

Ben t'essaieras d'être moins cave que Gilles. Y'a volé un char d'la Ville de Montréal juste pour s'en aller en Ontario. Un char de donneux de tickets, jaune orange, avec «Ville de Montréal» écrit sur les portes.

SYLVIE

Y'é con.

MARC

C'qu'y faut qu'tu fasses, c'est du pouce.

Line et Danielle reviennent.

SYLVIE

Pis Martin?

LINE

Ben y'é cute.

DANIELLE

C't'un beau p'tit chien.

LINE

Pis?

DANIELLE

C't'un chien pareil.

LINE

En tous cas. Il m'a nommée responsable de...

MARC

T'es pas tannée de jouer à mère?

LINE

NON.

MARC

Ici, c'pareil comme ailleurs. M'as aller aux video games tout seul. C'est ben mieux d'même.

LINE

Hey wo... t'as rien fait sur la murale aujourd'hui.

DANIELLE

Tu prends congé?

SYLVIE

Pourtant c'est pas ta fête.

MARC

Hey!

Tous se regardent.

TOUS

Happy birthday to you, happy birthday to you, HAPPY BIRTHDAY TO YOU!

Agression sur Marc. La bascule.

DANIELLE

Pourquoi t'as toujours ton walkman?

LINE

Pourquoi t'es tout l'temps stone?

MICHEL

Pourquoi tu te tiens avec nous autres?

SYLVIE

Comment tu fais pour te payer des disques?

MICHEL et DANIELLE

Dis-lé!

LINE et SYLVIE

Dis-lé

TOUS

Sors-lé!

MICHEL

Combien tu charges par client?

DANIELLE

Ça dépend?

SYLVIE

Pourquoi tu pars pas si t'es gazé?

LINE

Es-tu déjà parti?

TOUS

Es-tu déjà parti?

Marc réussit à se déprendre.

MARC

Laissez-moi tranquille... Chu parti de ben plus loin que vous pensez.

Marc les envoie paître et il leur fait signe d'aller se faire foutre.

Sylvie et Line défigent et vont au micro faire le rap. Michel et Danielle dansent.

RAP 2

Un jack-knife un bat' de baseball.
Une barre de fer qui scrappe un char.

Casser une porte la réparer.
Fumer du pot se faire pogner.

Bloc 4

On se retrouve dans le bureau de Denise Brisebois, travailleuse sociale.

DENISE
Entrez!

Marc entre.

GÉRARD
Le v'là, lui!

CHARLOTTE
Gérard!

MARC
Salut tout l'monde!

LAGARDE
Constable Lagarde, service à la Jeunesse, Montréal.

DENISE
Bonjour Madame Lagarde. Je suis Denise Brisebois, travailleuse sociale; je suis responsable du dossier de Marc Bernatchez.

CHARLOTTE
J'suis la mère du p'tit. Lui, c'est mon mari. Gérard!

MARC

L'gros, c'est pas ton mari pis c'est encore ben moins mon père.

> *Gérard vient pour se lever, Charlotte le rassoit d'un geste ferme.*

DENISE

J'vous remercie, madame Lagarde.

LAGARDE

J'm'appelle Yvonne.

DENISE

J'vous remercie, Yvonne, pour la vitesse à laquelle...

MARC

Pour aller vite, ça été vite: ça m'a pris une semaine pour me rendre à Montréal, pis sept heures pour revenir, hein constable?

GÉRARD

Pas pire, pas pire... j'l'ai déjà fait en six heures, mais c'était avant les points de démérite.

> *Gérard rit mais il est le seul à le faire.*

DENISE

Si tu nous racontais, Marc, ce que tu as fait.

MARC

J'me suis cherché une job, c'est tout!

CHARLOTTE

À Montréal!

MARC

Ben, c'est pas par icitte qu'm'as pouvoir travailler, fait
que...

GÉRARD

Y f'rait ben mieux d'rester à l'école.

MARC

Toi, l'gros, j't'ai rien d'mandé. Fait que chique ta gomme
pis sacre-moi patience.

CHARLOTTE

Coco!

MARC

Pis toi, appelle-moi pus Coco. Mon nom, c'est Marc, Marc.

DENISE

Marc, me semble, ici, peut-être un peu agressif.

MARC

Ouais, Denise, j't'en chriss parce que j'me suis faite
pogner. Pis pour une niaiserie.

CHARLOTTE

Qu'est-ce que t'as fait?

MARC

Rien, rien.

LAGARDE

Hier matin, dans la rue, il a demandé à un de mes collè-
gues d'y indiquer où ce qu'était le Regroupement des Jeunes Chômeurs. Mon collègue a vérifié son identité. Pis en
appelant au central, on y'a dit qu'il était recherché pour
fugue.

MARC

C'est niaiseux, hein? Mais j'étais perdu. Ça pas l'air comme ça, mais la ville, c'est ben grand. Pis on m'avait dit qu'à cet endroit-là, on m'aiderait.

LAGARDE

C'est vrai.

GÉRARD

C'est vrai quoi?

LAGARDE

Qu'il aurait eu de l'aide.

CHARLOTTE

Ça fait un mois qu'on le cherchait.

MARC

J't'en progrès: la dernière fois, j'ai fait treize jours. Eh que j'suis bad-lucky!

CHARLOTTE

Coco!

MARC

MARC!

CHARLOTTE

Ça règlera rien qu'y s'sauve de même!

MARC

Ben au moins pendant c'temps-là, j'ai la paix.

GÉRARD

Y va finir dans un centre de rééducation.

MARC

Au moins, l'toit y coulera pas.

GÉRARD

Y'est réparé l'toit!

MARC

Y'était temps, ma chambre était rendue comme une douche.

GÉRARD

Bave-moé pas à matin.

MARC

D'un côté, j'aimais ça prendre ma douche dans ma chambre.

CHARLOTTE

Gérard, laisse-le tranquille.

MARC

Comme tu peux l'voir, Denise, la vie d'famille c'est not' fort.

DENISE

Bien oui, j'vois ben ça... Et si tu racontais ce que tu as vécu.

MARC

Ça été au bout'! Un mois par moi-même. Un mois à pas voir la face du gros.

Gérard vient pour se lever, Charlotte le rassoit d'un geste ferme.

MARC

Un mois de vacances! J'suis parti le matin du 24 décembre. J'voulais pas fêter Noël en famille. Y faisait fret mais y faisait beau. J'ai pris mon pack-sac, y'était tout' prêt d'la veille. Ça pas été un coup de tête, non. J'y pensais depuis que j'm'étais fait' prendre c't'été.

GÉRARD

Complètement saoul que j'l'ai r'trouvé!

MARC

J'tais peut-être ben parti, mais toi, j'me d'mande comment t'as fait' pour me r'connaître avec c'que t'avais pris.

Gérard vient pour se lever, Charlotte le rassoit.

MARC

La balloune, j'pense qu'y'a juste le matin qu'y'a défoncerait pas.

Lagarde fait un geste signifiant que ce n'est pas son dossier.

MARC

Vous vous en foutez, hein? Moi, j'fais d'tort à personne pis on m'court après. Lui y conduit saoul comme une botte pis vous trouvez ça normal?

LAGARDE

Si un jour y's'fait pogner...

MARC

Autrement dit, on peut faire n'importe quoi à condition de pas s'faire pogner. Ben, l'prochain coup qu'm'a partir, watchez-vous!

DENISE

Donc, il est parti le 24 décembre au matin.

MARC

Ouais, su'l'pouce. Ben l'pouce, ça pogne pas fort le 24 décembre. Y'a juste du monde en famille su'l'chemin. Une chance, y'a un gars d'truck qui m'a ramassé, pis j'ai abouti à Percé.

DENISE

Mais tu t'en allais à Montréal?

MARC

Mais l'truck, lui, y s'en allait à Percé.

CHARLOTTE

Il faisait du pouce du mauvais côté du chemin!

MARC

Ben non. Le gars faisait sa run de liqueurs pis y m'a ramassé parce qu'y trouvait que j'avais l'air d'avoir froid. J'comprends donc, ça faisait trois heures qu'j'faisais du pouce, pis j'étais gelé right through! Fait que j'embarque dans son truck, j'me suis dégelé, pis y m'a dit qu'y s'en allait à Percé.

CHARLOTTE

Pis! c'est quoi qu't'as fait' à Percé?

MARC

Ça te r'garde pas c'que j'ai fait. M'as avoir dix-sept ans ben vite. Ça été ben l'fun.

GÉRARD

P'tit bum!

MARC

Toi, l'gros, ménage tes termes parce que m'as m'mettre à compter les p'tites passes que tu fais au motel Bellevue.

CHARLOTTE et YVONNE

Hein?

CHARLOTTE

Au motel Bellevue?

MARC

Comment tu penses que Monsieur réussit à s'payer sa bière? Avec son chèque de bien-être? Y'a trouvé des p'tits moyens pour qu'a y coûte rien, sa bière. D'un côté, c't'une chance parce que comme ça il nous reste de l'argent pour manger. Pis y voulait m'embarquer là-dedans.

GÉRARD

J'sais pas c'qui me r'tiens.

Gérard vient pour se lever, Charlotte le rassoit.

DENISE

Tu m'as jamais parlé de ça?

MARC

Ça vous r'garde pas.

DENISE

J'suis là pour t'aider.

MARC

Ben, sacrez-moi patience pis renvoyez-moi à Montréal. La constable pourrait m'donner un lift. Pis elle est correcte côté politesse.

LAGARDE

Ben... euh... c'est que je... je pense que...

MARC

N'empêche qu'à Montréal, j'm'étais jusqu'à trouvé une job.

GÉRARD

Il sait rien faire.

MARC

J'sais au moins garder les flos que t'as fait' à ma mère. Pis toi, tu peux pas en dire autant.

GÉRARD

Il va finir par faire des hold-up dans les dépanneurs.

MARC

Tout l'monde peut pas donner dans l'film porno.

DENISE et YVONNE

Hein!

CHARLOTTE

C'est quoi qu'il raconte là?

GÉRARD

Il va arrêter d'inventer des affaires ou m'as y r'mettre la tête à l'endroit.

Gérard vient pour se lever, Charlotte le regarde, il se rassoit.

MARC

À Montréal, j'm'étais fait' engager comme pompiste dans un Texaco.

DENISE

Tu as travaillé?

MARC

J'commençais aujourd'hui... y'a fallu que j'me fasse pogner juste quand ça commençait à ben aller. Eh que j'suis bad lucky!

CHARLOTTE

C'est quoi qu'y va arriver astheure?

DENISE

Ça dépend.

MARC

Moi, je r'tourne pas à maison tant que le gros est là.

DENISE

Bon, si c'est comme ça, premièrement, on pourrait te pla-
cer dans une famille d'accueil, et puis en attendant y'a des
familles qui font du dépannage.

MARC

Pis m'a m'ramasser au tribunal de la Jeunesse?

DENISE

Y'a pas beaucoup d'autres possibilités. Ça fait plusieurs
fugues que tu fais.

CHARLOTTE

Y'a même pas fini d'nous raconter c'qu'y lui est arrivé.

MARC

Vous allez tout' savoir en trois copies avec les notes que
Denise a prises.

LAGARDE

Bon ben, si vous avez pus besoin de moi, j'aurais un rapport à faire pis faudrait que je redescende en ville.

MARC

Vous allez m'donner un lift?

LAGARDE

J'ai bien peur que ce soit pas possible.

MARC

Ben, c'est quoi qui va m'arriver à moi? C'est vous qui m'avez ramené icitte, ben astheure occupez-vous de moi.

LAGARDE

Bon ben... m'as aller écrire mon rapport pis je reviendrai te souhaiter bonne chance.

Lagarde sort.

MARC

Es-tu content l'gros, tu m'reverras pus la face.

GÉRARD

Oui, pis t'es pas prêt de r'mettre les pieds dans ma roulotte.

Gérard sort.

CHARLOTTE

M'as aller calmer Gérard pis m'as rev'nir.

Charlotte sort.

MARC

C'est ça, laissez-moi tout' tout seul!

DENISE

Moi j'reste!

MARC

Toi, c'est pas pareil! T'es payée pour t'occuper de moi.

CHANSON 2

Plogue-déplogue

Mal de tête
Neurologue
Plogue-déplogue
Mal de cœur
Psychologue
Plogue-déplogue
Mal de tout'
Mal de l'heure
Plogue-déplogue
Chu au bout'
Vivre ailleurs
Plogue-déplogue

Mal de vivre
Tout chavire
Plogue-déplogue
Orienteur
À cent à l'heure
Plogue-déplogue
Mal de dos
Mal de trop
Plogue-déplogue
Pas de panique
Pas de réplique
Plogue-déplogue

Bloc 5

Marc suit le beat de son walkman en peinturant la murale. Line fait un nouveau mélange de couleurs. Michel tente de créer en s'attaquant à tous les panneaux à la fois.

MARC
Plogue-déplogue…

LINE
Ça va faire une belle couleur ça.

MICHEL
Ton mélange, ça donne du bleu?

LINE
T'essaieras, toi, d'faire du bleu en mélangeant. Bleu, c't'une couleur de base, toton.

MARC
Plogue-déplogue…

Danielle surgit.

DANIELLE
Line, t'aurais pas deux piastres à m'passer?

LINE

Pour quoi faire?

DANIELLE

Parce que j'en ai d'besoin, envoye donc!

LINE

Pour faire quoi?

MARC

Plogue-déplogue…

DANIELLE

Cou'donc, y'est plogué, lui!

LINE

Ben déplogue-lé.

MICHEL

(*À Marc.*) Déplogue!

MARC

Han! Tu m'parles-tu?

> *Sylvie entre discrètement en sirotant un jus de raisin.*

DANIELLE

Cinq piastres, Line. Tu travailles, toi!

LINE

J'peux pas.

DANIELLE

Toi, Michel? Cinq piastres…

MICHEL

Non.

DANIELLE
Line!

LINE
J'travaille pus.

DANIELLE
Pourquoi t'as lâché?

LINE
Ça m'écœurait.

DANIELLE
J'vas t'le remettre demain. Line, t'es ma chum.

LINE
Ça rien à voir. Chu cassée, c'est tout'.

DANIELLE
Deux piastres d'abord. Juste deux.

LINE
T'es fatigante.

MICHEL
C'est vrai ça, t'es fatigante.

MARC
Plogue-déplogue…

DANIELLE
(À Michel.) Toi, j't'ai rien demandé.

MICHEL
Menteuse. Tu m'as demandé cinq piastres.

DANIELLE
Deux d'abord.

MICHEL
NON!

SYLVIE
C'est ça des amis.

DANIELLE
Toi, Sylvie?

SYLVIE
O.K.! Mais, ça fait seize piastres là.

DANIELLE
J'vas t'le remettre, tu l'sais.

MICHEL
J'espère que tu sais compter jusqu'à mille.

SYLVIE
Oui!

MARC
Plogue-déplogue

> *Danielle pogne les fesses à Marc. Marc enlève son walkman.*

MARC
Qu'est-ce qu'y a?

DANIELLE
Ah! rien! J'étudiais ta géographie.

SYLVIE
Les vallées parallèles.

> *Elles rient.*

MICHEL
Hey Marc! faut que j'te parle.

MARC
Si c't'à propos des disques…

MICHEL
Non. C't'une autre affaire…

Sylvie tente d'écouter la conversation.

MARC
Plus tard.

SYLVIE
Moi, j'ai une cousine de même. Quand a dit queque chose, faut toujours que ça soit un secret.

LINE
(*Peinturant la murale.*) Comment vous la trouvez, ma couleur?

MICHEL
C'PAS BLEU!

DANIELLE
C't'une couleur, ça?

MARC
C'comme la sauce dans l'Big Mac!

Tous rient.

LINE
Qu'essé qu't'as dit?

SYLVIE

Y'a dit: «C'comme la sauce dans l'Big Mac.»

LINE

(*Se retirant du groupe.*) Arrêtez donc de m'niaiser avec c'te job-là, c'pas drôle.

SYLVIE

Pourquoi ça pas marché, c'te job-là?

MARC

Parce qu'a s'est pas grouillé l'derrière.

DANIELLE

Ça, c't'une joke de gars épais.

LINE

J'vous aurais vu faire des balous balous.

TOUS

Des quoi?

LINE

Des balous balous.

MICHEL

Me semble de t'voir.

LINE

Pis?

SYLVIE

Oui, pour monsieur, bonjour, qu'est-ce que j'peux faire pour vous, s'il vous plaît, merci bonjour...

LINE

O.K.! Ça va faire.

MARC

Hey la pie! J'vas prendre un mac poulet.

LINE

Toé... un moment donné, Bernatchez, j'vas t'pogner dans un coin.

MARC

Hon! j'ai peur.

DANIELLE

Fais-y pas ça, y'aimerait trop ça.

LINE

J'ai assez hâte de prendre un break de vous autres, un break de tout'.

SYLVIE

Avec quel argent?

MICHEL

A va emprunter à Danielle.

> *Tous se mettent à rire de façon grotesque et fausse et de plus en plus fort. Agression sur Line. Ils se la renvoient comme une balle.*

MARC

On aime ça faire d'l'argent.

MICHEL

Mais on n'aime pas travailler.

DANIELLE

On veut être le boss.

SYLVIE

Mais on veut pas avoir de boss.

MARC

Tu veux être la gagnante.

DANIELLE

Mais t'es mauvaise perdante.

SYLVIE

Tu veux partir.

MICHEL

(*La poussant par terre.*) Mais t'as peur de te retrouver toute seule.

SYLVIE et MARC

Pis où tu vas aller?

DANIELLE

Où aller?

TOUS

Où?

> *Line se libère et s'empare d'un pot de peinture plein et menace le groupe de le leur lancer à la figure.*

LINE

Vous voyez rien. Vous êtes aveugles, vous êtes méchants.

MICHEL

Toi, c'pas ta peinture qui est mélangée, c'est toi.

> *Marc et Michel vont au micro pour le rap. Sylvie et Danielle dansent. Line, figée, les regarde.*

RAP 3

Un jack-knife un bat' de baseball.
Une barre de fer qui scrappe un char.

Casser une porte la réparer.
Fumer du pot se faire pogner.

Pas chialer faire la vaisselle.
Pas rien dire faire l'amour dans ruelle.

Bloc 6

On se retrouve dans un McDonald. Claude est le gérant.

CLAUDE

Attention, mes p'tites croquettes, préparatifs avant l'ouverture… Ça va être une belle journée. Tout le monde est de bonne humeur? On va faire nos p'tits exercices si on veut être les dignes représentants de la grande famille McDonald, il faut être…

CHŒUR

Indispensables.

CLAUDE

Il faut être…

CHŒUR

IN-DIS-PEN-SA-BLES.

CLAUDE

And now all of you the Big Mac genera… Line Lemieux est pas là? Est en retard comme d'habitude. C'est pas de même que ça marche. Vous êtes pas ici pour vos beaux yeux. Les clients attendent… Au travail! You all of you?

CHŒUR

US?

CLAUDE

Yes you.

CHŒUR

Oui pour monsieur bonjour qu'est-ce que j'peux faire pour vous s'il vous plaît merci bonjour sincère bonjour souriant bonjour ensoleillé et jovial j'aime la vie oui.

LUCIE

Accompagné d'une frite.

BEN

Et d'une boisson gazeuse.

LOUISE

Quel merveilleux goûter!

Musique.

CHANSON McDONALD

Mac, mon nom est Mac Big Mac
Houmba houmba wawa balou balou
C'est sensas, sensationnel
Tu pètes de santé généreuse et juteuse
La jeunesse est accompagnée
D'une frite et d'une boisson gazeuse
Houmba houmba wawa balou balou!

CLAUDE

C'est merveilleux! Mlle Bourassa, un bon point pour vous. Vous serez sûrement l'employée du mois la semaine prochaine.

Line entre.

LOUISE

C'est son heure, ça!

CLAUDE

Ben là c'est l'heure du sel sur les patates, d'la glace dans l'Seven-UP, pis du service au volant. SCRAM SCRAM!

Le chœur sort.

CLAUDE

Toi, il faut que j'te parle. T'es paresseuse.

LINE

Moi paresseuse... Hey, j'vis sur l'gros nerf icitte quarante heures par semaine.

CLAUDE

Tes problèmes personnels, on veut pas les connaître; ici c'est ton travail, le reste, ça reste à maison, O.K.?

LINE

Moi, j'trouve que l'travail pis la maison, ça va ensemble. J'travaille rien que pour payer mon loyer.

CLAUDE

Faut qu't'apprennes à aimer le travail. Le travail, c'est 90% du succès de ton existence. Si t'aimes ton travail, t'es heureuse. Si t'es heureuse, t'es aimable pis si t'es aimable, tu te fais des amis. Les amis, c'est les neuf dixième de l'existence. D'ailleurs, t'en as pas d'amis. J'ai remarqué ça, t'as de la difficulté à te faire des amis. Ton problème, toi, c'est que tu te penses différente des autres, plus fine que les autres.

LINE

J'sais pas si chu plus fine que les autres mais différente, ça je l'espère.

CLAUDE

Tu me rappelles des souvenirs. Quand j'ai commencé, j'étais pareil comme toi à ton âge. J'tais ben dur, une carapace. Isolé, tout seul dans mon coin, malheureux. J'avais l'impression d'être un vulgaire maillon dans la chaîne...

LINE

La chaîne McDonald?

CLAUDE

Oui, oui, la chaîne McDonald. Jusqu'au jour où j'me suis aperçu qu'un simple sourire pouvait transformer mon... en tout cas, le monde venait me voir moi plus que les autres.

LINE

C'pas toi qu'ils v'naient voir, c'est l'costume qu'y ont vu à T.V.

CLAUDE

Regarde ton attitude, là. Négative sur toute la ligne.

Arbore un beau sourire, tu serais mignonne comme tout.

Au lieu d'être une tempête dans un verre d'eau, tu pourrais devenir le soleil du MacDo.

LINE

Tu sais vraiment pus quoi dire. Moi ça me prend des raisons valables pour sourire.

CLAUDE

Pense à tous les clients à qui tu donnes la possibilité de se nourrir.

LINE

T'es sûr que j'pas en train d'les empoisonner.

CLAUDE

Quessé ça, c'te mentalité-là de fine bouche de p'tite intel-
lectuelle. Quand une affaire marche, ça fait tout le temps
des jaloux. Tu viendras pas me faire accroire que les 3/4 de
la population est folle.

Tu changeras pas le système, Line Lemieux. Compte-toi
chanceuse de travailler.

LINE

Chanceuse!

CLAUDE

Oui, chanceuse.

LINE

Tu trouves ça drôle, toi, cent boulettes à l'heure, la tête
dans le micro-ondes?

Chus rendue que j'prends mon bain dans l'ketchup.
Chanceuse!

CLAUDE

Oui, chanceuse.

LINE

Toutes les nuits, dans mes rêves, j'couche avec le Clown
McDonald. Y'é assez drôle.

CLAUDE

(*Rire insignifiant.*)

LINE

On est comme des p'tits chiens deboutte qui marchent à
sonnette.

CLAUDE

Ça prend d'la discipline...

LINE

D'la discipline pour devenir l'employée du mois dans un cadre avec le p'tit chapeau, chanceuse, hein?

J'te dis que c'est excitant, le Mac Poulet, c'est valorisant, le chausson aux cerises, ça remonte le moral, les balous balous. Mais la cerise sur le sundae, c'est un beau p'tit salaire de Mac Mineur dans une sauce aigre-douce.

CLAUDE

Va-t'en, va-t'en...

LINE

Pis juste à droite d'la cerise, un p'tit gérant qui lit dans les patates pis qui voit ton avenir.

CLAUDE

Dehors. Pis essaye pas d'avoir une lettre de recommandation.

LINE

Promis, j'essayerai pas. J'ai ben que trop peur qu'y aye d'la moutarde dessus.

> *Line sort en claquant la porte. Le chœur est caché derrière les panneaux.*

CLAUDE

Bon, on oublie tout.

Y s'est rien passé. On sourit.

Y'en a des millions de Line Lemieux qui demanderont pas mieux que de prendre sa place.

Au travail mes p'tites croquettes.

> *Changement de décor sur la musique.*

Bloc 7

Line est assise sur les tréteaux, Danielle entre.

DANIELLE

Line Lemieux, t'es encore dans lune?

LINE

Han?

DANIELLE

Arrête de penser à ta job.

LINE

J'capote.

DANIELLE

Pourquoi? C'pas grave.

LINE

C'pas grave, c'pas grave. Moi, j'ai besoin de c'te salaire-là à toué semaines pour payer mon loyer, c'tu toé qui vas me l'payer, mon loyer?

DANIELLE

Tu vas chercher, pis tu vas t'en trouver une autre.

LINE

C'est facile d'abord. Ça fait depuis que je te connais que t'en cherches une.

DANIELLE

Pis tu vois, j'me débrouille pareil.

LINE

Tu te débrouilles… une chance qu'on est là pour te passer un deux, pis un cinq, pis un dix.

DANIELLE

O.K.! o.k.! M'as t'le remettre ton argent.

LINE

C'pas ça. Mais j'veux pas être pognée pus une cenne parce que je retournerai pas chez ma mère.

DANIELLE

Cou donc, le monde dans ton boutte, y doivent se demander où t'es passée. Y l'savent-tu que tu t'es sauvée?

LINE

Jamais d'la vie, ma mère a assez peur que ça se sache, a peur d'avoir l'air d'une mauvaise mère, a dit à tout l'monde que chu pensionnaire queque part dans un collège.

Sylvie entre.

SYLVIE

C'est quoi qu'tu racontes?

LINE

J'te demande tu avec qui tu couches, toi?

Sylvie part en pleurant.

DANIELLE

Toi, t'es conne!

LINE

Quessé qu'a l'a, elle?

DANIELLE

A l'a des problèmes c'est tout!

LINE

Où y'est, Michel?

DANIELLE

Y boude depuis que j'l'ai battu au ping-pong.

Marc et Michel arrivent.

MICHEL

Combien t'es achètes, mes disques?

MARC

J'les achète pus.

LINE

Tu boudes pus.

MICHEL

Qu'essé qu'a raconte, elle?

DANIELLE

Où c'est que vous étiez?

MARC

(*À Line.*) Au McDonald.

DANIELLE

(*À Marc.*) Êtes-vous allés sur le pouce?

Petite bataille entre Marc et Danielle.

LINE

Bon on fait-tu la murale, là? Hey! si on mettait tout' notre argent ensemble, on pourrait peut-être partir en queque part en gang.

Changement de décor. Danielle ne fait rien et regarde les autres travailler.

DANIELLE

J'ai pas une cenne.

LINE

Pis?

DANIELLE

Où tu veux qu'j'aille pas une cenne.

LINE

Ben pis?

MARC

Hey! la pie, slaque!

MICHEL

On devrait aller en Alberta.

DANIELLE

Ah! toé!

MICHEL

Ah! nous!

LINE

Bon, ben moi, j'mets du noir sur le «fuck»!

MARC

Non!

Sylvie revient.

LINE
Tiens, t'as changé d'air.

SYLVIE
Martin fait dire qu'il va essayer d'trouver des sous demain pour acheter les stocks qui manquent.

MARC
Du bon stock, j'espère.

DANIELLE
Y'é épais.

MARC
Y m'a payé une bière, l'autre fois.

SYLVIE
T'es ben bon, t'es ben bon.

MICHEL
Quand ça?

LINE
Es-tu jaloux?

MICHEL
Pas plutôt toi qui es jalouse?

LINE
Sors donc ton jack-knife, espèce de macho. T'es meilleur là-dedans qu'au ping-pong.

SYLVIE
Martin y'a dit...

DANIELLE

Arrêtez donc de tripper sur Martin. C't'un chien, c'te gars-là. Attendez qu'il se mette à mordre, vous allez changer de face.

TOUS

Danielle… aaaaaaaaaaaAAAAAAAAAAAAAAAAAAH!

Le reproche se transforme en alarme de police.
Agression sur Danielle. Descente policière.

LINE

Paraît que tu sors pas les poubelles.

DANIELLE

Y puent, ces maudites poubelles-là.

SYLVIE

Hé qu'est délinquante!

LINE

Paraît qu'tu fais pas la vaisselle.

DANIELLE

Y pue, c'te linge à vaisselle-là.

MICHEL

Hé qu'est délinquante!

MARC

Paraît qu'tu vis chez toute sorte de monde.

SYLVIE

Paraît que tu connais toutes les polices d'la ville.

LINE

Paraît que tu veux faire ton trip toute seule.

SYLVIE

Hé qu'est indépendante.

LINE et MARC

Mais a l'a besoin d'l'argent d'tout le monde.

TOUS

Écœurante!

DANIELLE

(*En pleurant.*) Lâchez-moi!

> *Sylvie et Michel s'en vont au micro pour le rap.*
> *Line et Marc dansent. Danielle pleure par terre.*

RAP 4

Un jack-knife un bat' de baseball.
Une barre de fer qui scrappe un char.

Casser une porte la réparer.
Fumer du pot se faire pogner.

Pas chialer faire la vaisselle
Pas rien dire faire l'amour dans ruelle.

Une caisse de bières se paqueter la fraise.
J'vas être malade donne-moi une chaise.

Bloc 8

Jappements. Musique mystérieuse. Rumeur d'auto-
route. Filage électrique. Cabane délabrée. Porte
ajourée, branlante. Ça frappe, on entend japper.
Danielle va ouvrir: deux policiers.

POLICIER 1
Ta mère est-tu là?

DANIELLE
Euh… j'en n'ai pas.

POLICIER 2
(*Paternaliste.*) Voyons donc, voyons donc, ma poupoune.

DANIELLE
Ben… est partie en ville… magasiner.

POLICIER 1
Tu restes-tu tu seule ici?

DANIELLE
Non… avec ma grande sœur.

POLICIER 2
Ah! oui?… Est-tu ici présentement?

DANIELLE
Oui mais… on peut pas la rencontrer… est dans son bain.

Les deux policiers inspectent les lieux.

POLICIER 1

Ah! oui? À quelle heure qu'a va rev'nir ta mère?

Silence.

DANIELLE

J'm'excuse, c'est mon frère qui prend son bain.

On entend japper.

DANIELLE

Ça, c'est Dégât, mon chien, je l'ai attaché dans cave.

POLICIER 2

C'est ton frère ou ta sœur qui prend son bain?

DANIELLE

C'est... c'est ma sœur... j'pense... j'vas aller voir.

POLICIER 2

Ils font pas grand bruit, hein, ma poupoune? Quel âge que t'as?

DANIELLE

Euh... dix-sept ans!...

POLICIER 1

Woin, woin... ta sœur... on pourrait-tu y parler?

DANIELLE

Ben... est sourde et muette mais... a comprend quand on y parle.

Silence. Regard.

DANIELLE

O.K.! D'abord… attendez, j'vas aller y dire de s'habiller.

POLICIER 1

Hey, hey, come on, come on, attends donc un p'tit peu, là… t'es-tu tu seule dans c'te… «maison-là»?

Regard dégoûté autour.

DANIELLE

Non!… D'ordinaire, maman est ici.

POLICIER 2

Ah! oui?… Pis ton père, lui?

DANIELLE

Ben lui… Y'est mort.

POLICIER 1

Ah! oui? Comment qu'y s'appelait, ton père?

DANIELLE

Euh… Sting… Bernard Sting!

POLICIER 2

Ça doit, oui!

Rire peu convaincu.
Fait signe au policier 1 que la fille doit être zoin zoin.

POLICIER 2

À quelle heure t'attends ta mère?

Silence.

POLICIER 2

Habituellement, a r'vient à quelle heure?

DANIELLE

Habituellement, a r'vient à pied, mais là a... là euh...

POLICIER 1

Bon, tu vas nous arrêter ça, ces niaisages-là! Qu'est-ce qu'y a là? Viens pas nous faire accroire que t'attends personne, que t'es tu seule au monde, tu vas finir par nous faire brailler.

Dégât jappe.

DANIELLE

Mon chien a faim, j'vas aller le détacher.

POLICIER 1

(*L'agrippant.*) Non non non, tu vas rester ici, pis tu vas nous dire primo qui est ta mère, le nom de ton père ou whatever... on a reçu des plaintes au poste. Une p'tite fille qui reste tu seule avec un chien qu'on n'a jamais vu mais qu'on entend japper comme un damné, dans une vieille cabane abandonnée, que c'est qu'a fait là, à La Prairie su l'bord de l'autoroute, voulez-vous ben m'dire? Tu viendras pas nous faire accroire que c'est normal?

DANIELLE

Ben... ma mère est pas partie tu seule.

POLICIER 2

Bon. Est plus sage, la p'tite fille... Ah! ah! ah! Avec qui qu'est partie, donc?

DANIELLE

Ben avec...

POLICIER 1

Parle, ma chouette, t'as pas d'affaire à être gênée avec nous autres.

DANIELLE

Ben... est partie avec un gars... Y s'appelle Red.

POLICIER 2

Ah! oui? Y vient-tu souvent... Red?

DANIELLE

Euh non... j'veux dire oui mais... J'le reconnaîtrais pas... Y'a un œil crevé... pis...

POLICIER 1

Pis quoi? Tu pourrais-tu nous l'décrire un peu plus?

DANIELLE

Ben... y'a les mains sales pis... pis ben... y joue dans un orchestre... C'est tout.

Le chien jappe.

POLICIER 2

Pis après? Hein?... Réponds! continue!

DANIELLE

Rien.

Silence.

DANIELLE

C'pas de vos affaires!

POLICIER 1

Hey hey! tu t'adresses à des policiers, ma p'tite fille, c'est dans ton intérêt de répondre poliment aux questions qu'on te pose. Tes parents, où c'est qu'y restent?

Silence.

DANIELLE

J'en n'ai pas.

POLICIER 2

Fille, on va t'raconter notre version des faits à nous autres, O.K.? Ça va peut-être te rafraîchir la mémoire, ma poupoune? Sais-tu qu't'as pas l'droit d'habiter tu seule comme tu l'fais, que ça pourrait te coûter cher?

Le chien jappe de plus belle.

POLICIER 2

Y'est ben jappeux celui-là!

POLICIER 1

Veux-tu l'faire fermer, ton maudit chien!

POLICIER 2

Tes parents, y doivent s'inquiéter?

DANIELLE

(*Bas.*) You bet! (*Fort et insolent.*) Penses-tu?

POLICIER 1

Wo wo! ma belle, là, sois polie! T'aurais avantage à être coopérante, ma p'tite fille!

(*Il lui parle comme à un enfant.*) Tu dois bien avoir quelqu'un qui t'attend queque part dans une vraie maison? Dans l'boutte de La Prairie?

Cette montée de violence devra se faire en cres-
cendo contrôlé, en avançant sur les policiers.

DANIELLE

Hey! j'ai pas sept ans, le smatt! J'en n'ai pas de p'tite maison dans la prairie. Mes parents sont morts, j'vous l'ai dit .
Ou plutôt non, mon père, c'est Clint Eastwood pis y couche avec Michael Jackson, pis ma mère, elle, a l'a une amie
de fille, a s'appelle Michelle comme mon père pis est aux
femmes, y vivent tout l'monde ensemble au sous-sol; a
l'aime pas mon frère parce qu'y est un homme; mon vrai
père, lui, y m'a violée à sept ans parce qu'y haïssait ma
mère qui l'haïssait, y voulait s'venger d'elle, à c't'heure
y'est mort, je l'ai tué, j'pense; ma mère, elle, est en
dépression nerveuse à l'année parce qu'a dit qu'on y a fait
rater sa vie; ma p'tite sœur, a l'élève des chiens policiers
pour l'attaque, a l'a juste un mognon qu'a trempe dans
l'gin pour que ça y fasse moins mal; mon cousin Sylvain,
lui, y'est police comme vous autres pis y'a marié une fille
qui a tué son enfant mongol dans l'lavabo, fa qu'y'a bat, a
toutes les dents cassées. J'ai un cousin que j'aime beaucoup, c'est mon cousin Charles qui est musicien mais lui
y'aime mieux mon frère pour parler, y font d'la musique
dans cave; ceux qu'j'aime, y m'tuent, ceux qui m'aiment
pas j'les tue, fa que lâchez-moi avec vos questions. Mon
autre p'tite sœur a l'a... a l'a l'cancer des os; mon autre
frère de douze ans y est dans l'coma, y compte les mouches
au fond d'sa bière; ma grande sœur, elle, a s'est mariée
avec un prêtre après son accident d'avion; ma grand-mère,
ça fait quinze ans qu'est un légume à l'hôpital. J'aurais
toujours voulu devenir ingénieure en électronique, mais
ma mère est su l'bien-être social pis a dit qu'c'est mieux
que j'apprenne un métier utile comme secrétaire. Mon
père y dit que chu t'un garçon manqué pis que j'coûte
cher à la société. J'veux pas finir comme ma tante Lucienne

qui a eu une lobotomie pis mon frère le plus vieux qui vit dans son ménage à trois, y'ont eu un enfant paralysé cérébral pis sont partis en Alberta, y'ont fait garder l'bébé par ma mère mais a l'a oublié su'le feu, fa que ça colle au fond pis ça pue, pas nécessaire de vous faire un dessin hein? Ça se peut? Sacrez-moi donc patience avec vot' p'tite maison dans la prairie, comprenez-vous? J'M'EN SOUVIENS PUS! NO REMEMBER! BLACK OUT!!!!

Le chien hurle à s'en fendre l'âme.

DANIELLE

Pis le chien que vous entendez japper, mon chien Dégât, là, ben c'est rien que dans vos têtes, mon chien y'existe pas, c'est juste une idée qu'vous vous faites, comme moi d'ailleurs, chu rien qu'une idée que'vous vous faites. J'm'appelle Dégât.

Elle jappe avec le chien.

CHANSON 3

Si j'étais une police
J'aurais une grande casquette
Avec une grosse pallette
Pour ma cacher la face
Pis rien voir
Rien rien voir

Si j'étais une police
J'aurais une grosse matraque
Le premier qui m'attaque
J'y égalise la face
Va faire noir
Ben ben noir

Une grosse étoile sur ma ceinture
Pis des brillants sur mes chaussures
Flash pis swell
Ben des cravates
Ben des bebelles
Un super uniforme
Pas mal moins uniforme
Qu'une police ordinaire

Si j'étais une police
J'aurais un gros fusil
Pis par un beau lundi
J'me f'rais sauter la face
Par devoir
Le devoir

Bloc 9

Danielle est seule, elle écoute le walkman. Elle se prépare à attaquer la murale. Elle a l'air pensive. Marc et Michel surgissent. Elle ne les voit pas.

MICHEL et MARC
(*Comme des policiers.*) Mademoiselle!

Danielle sursaute. Elle a peur. Ils regardent tous trois la murale.

MARC
C'est flyé!

DANIELLE
Le «fuck», on l'laisse-tu?

MARC
Moi, j'trouve ça pas pire.

MICHEL
Mais y manque queq'chose.

DANIELLE
Du bleu peut-être!

MICHEL
Oui. Pis si tu me r'mettais ma piasse, j'pourrais peut-être en acheter.

MARC

Toi, acheter queq'chose! D'habitude, au centre d'achat, tu piques, t'achètes pas.

MICHEL

Toi, qu'est-ce que tu fais au centre d'achat?

Marc met son walkman.

MICHEL

S'cuse!

MARC

Han!

DANIELLE

(*Imitant Marc.*) Han!

> *Marc enlève son walkman. Marc et Danielle se courent l'un après l'autre. Sylvie entre et se fait bousculer par eux.*

SYLVIE

Hé que j'haïs ça quand y font ça!

MICHEL

(*Arrêtant Marc.*) Hey Marc!

DANIELLE

Hey! tu m'casses mon fun. Es-tu jaloux? T'étais mon chum en secondaire 1... t'avais juste à t'grouiller quand c'était l'temps.

MICHEL

Quand c'est l'temps, quand c'est l'temps. Va donc l'savoir, toi, quand c'est l'temps.

DANIELLE

Qu'est-ce que tu veux? Ta revanche au ping-pong?

MICHEL

Non. J'veux parler à Marc.

(*À Marc.*) J'y ai pensé. Si j'arrive à m'trouver un char, une couleur pas trop flashante...

SYLVIE

Bleu!

MICHEL

... j'peux m'rendre en Alberta facilement.

MARC

Voyons, Michel. Pas d'argent avec un char volé, tu vas pas chier plus loin qu'en Ontario. C'est ben mieux l'pouce.

MICHEL

C'est long... pis c'pas plus safe.

SYLVIE

Ça m'fait penser à mon cousin. Y'avait caché son char dans l'bois pour avoir les assurances pis sacrer son camp. Quand y'est allé le r'chercher, y se l'était fait voler pour vrai.

MARC

En fait d'famille de nouilles, toi!

SYLVIE

Ah! je l'sais. Y'é con.

Line surgit.

LINE

Martin fait dire que hier, on a laissé la place pas mal cochonne.

DANIELLE

Y'est pas mort, lui?

LINE

Y'a raison. On s'promène partout dans cabane pis on laisse des taches de peinture partout.

SYLVIE

En tout cas, c' pas moi.

MICHEL

Cou donc, c'est jamais toi. Quessé tu fais icitte si tu fais jamais rien.

LINE

T'es-tu une sainte?

DANIELLE

Hey! lâchez-la!

MICHEL

Pis elle, c'tu ton garde du corps?

MARC

Woin, qu'est-ce que t'as? T'es ben poignée!

MICHEL

T'es-tu gênée?

LINE

Woin, t'es-tu gênée?

SYLVIE

Non chu pas gênée. J'veux qu'on s'occupe de moi, c'est toute.

Ils font tous un pas vers Sylvie.

SYLVIE

Approchez pas! J'veux qu'on me r'garde pis qu'on me voye.

DANIELLE

Hey wô! capote pas.

SYLVIE

J'm'habille pas comme tout le monde pour qu'on me voye pas comme tout le monde.

MARC

Hey! fille... où c'est que t'es rendue, là?

SYLVIE

Y'a personne qui va avoir ma peau.

MICHEL

T'es ben intéressante tout d'un coup!

SYLVIE

J'veux pas que personne me touche. Approchez pas!... Approchez pas!

LINE

Les nerfs!

SYLVIE

J'vas m'en sortir. J'vas être esthéticienne, un point c'est tout'. J'passerai pas ma vie ici. J'passerai pas ma vie devant une murale.

> *Tous s'en vont au micro pour le rap. Sylvie danse, émotivement très tendue.*

RAP 5

Un jack-knife un bat' de baseball.
Une barre de fer qui scrappe un char.

Casser une porte la réparer.
Fumer du pot se faire pogner.

Pas chialer faire la vaisselle.
Pas rien dire faire l'amour dans ruelle.

Une caisse de bières se paqueter la fraise.
J'vas être malade donne-moi une chaise.

Écrire sur le mur j'vas r'virer fou.
Lâcher l'école passe-moi trente sous.

Bloc 10

On se retrouve chez les Beaudoin. La scène se déroule aux micros. Le père a des lunettes rouges. La mère, un bandeau rouge sur les yeux.

SYLVIE

Pis si ça fait pas, j'vas sacrer mon camp d'ici assez fast.

MÈRE

Qu'est-ce que tu dis?

SYLVIE

Non… rien, m'man.. pis?

MÈRE

J'sais pas…

SYLVIE

Envoye… dis oui, m'man.

MÈRE

Je l'sais pas, là. Parles-en à ton père.

SYLVIE

P'pa?

PÈRE

Non, Sylvie, y en n'est pas question.

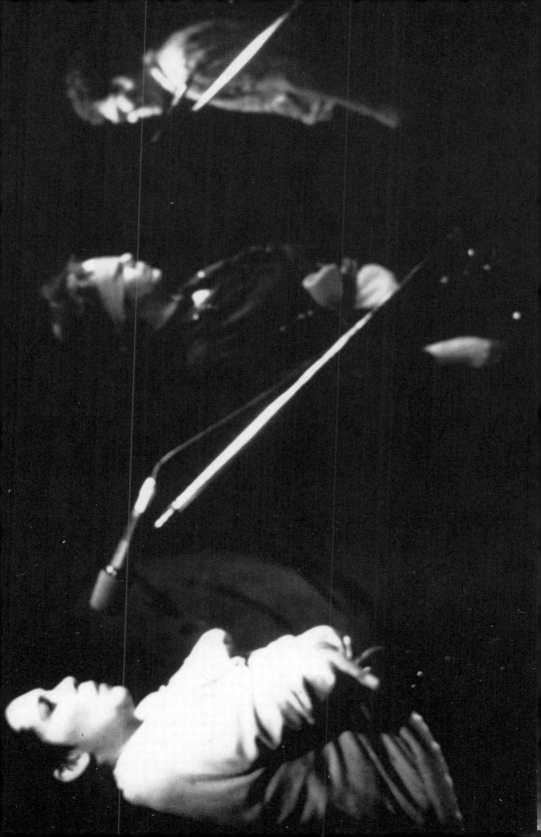

SYLVIE

Pourquoi?

PÈRE

Tu restes à la maison, un point c'est tout! C'tu clair?

SYLVIE

J'veux y aller, p'pa!

PÈRE

T'es trop jeune, j'veux pas que tu ailles à ce party-là!

SYLVIE

Mes amies y vont toutes, eux autres!

PÈRE

Ben, pas toi. Toi, tu restes avec moi...

SYLVIE

NON!!!

MÈRE

Qu'est-ce que t'as à crier comme ça? Si ton père a dit non, c'est non.

SYLVIE

Maman!

MÈRE

La discussion est close. Pis si tu veux faire à ta tête, monte dans ta chambre, va réfléchir pis t'calmer les nerfs. Ça va te faire du bien.

PÈRE

Sylvie! Tiens, tu t'achèteras de quoi avec ça.

SYLVIE

Quand tu me donnes d'l'argent, quand tu m'fais des

cadeaux, j'me dis que j'aimerais mieux être la plus pauvre du monde entier plutôt que d'avoir à te... à... non, je veux pas...

PÈRE

(*S'étant rapproché d'elle.*) J'te f'rai pas mal.

SYLVIE

Oui, tu m'fais du mal...

PÈRE

Ben non, j'vas t'faire du bien.

SYLVIE

Touche-moi pas... Laisse-moi m'en aller!

PÈRE

J'aimerais bien ça savoir pourquoi tu tiens tant à y aller à c'party-là?... C'est pour François, hein?

SYLVIE

C'est pas c'que tu penses...

PÈRE

J'pense que tu fais avec d'autres c'que tu veux même pas faire avec ton propre père. C'est ça que je pense! Quand ton François te fait ça, j'suis sûr que tu te défends pas comme ça, hein?... T'aimes ça, p'tite salope...

SYLVIE

C'est toi, le salaud. Y'a pas un père qui fait des cochonneries comme ça avec sa fille. Pis François y m'a pas touchée, tu sauras.

PÈRE

Tu vas payer ça cher, ma belle, pis pas plus tard que tantôt.

SYLVIE

Maman...

PÈRE

Ta mère travaille toute la nuit à l'hôpital, on va avoir tout notre temps.

SYLVIE

Touche-moi pus... S.V.P., papa... si tu m'aimes un peu...

Sylvie se dégage de son père.

SYLVIE

J'en peux plus! J'étouffe... faut que j'sorte au plus sacrant sinon je l'sais trop bien c'qu'y va s'passer... Y va encore venir dans ma chambre pis maman va faire comme si de rien n'était. Pourquoi tu l'laisses me faire ça, maman? Parce que tu l'sais c'qu'y s'passe, t'es pas aveugle!

MÈRE

C'est toi qui cours après. Tu l'agaces.

SYLVIE

C'est pas vrai... c'est lui qui...

MÈRE

Mais c'est un homme, Sylvie...

SYLVIE

Les pères de mes amies sont des hommes aussi pis y font pas ça.

MÈRE

Bon... arrête ça là... pis parlons-en pus.

Chez Manon. Le party. Catherine porte un béret rouge.

CATHERINE

Wow! c'est pas mal ici pour faire un party!

FRANÇOIS

(*Portant une ceinture rouge.*) Hey c'est super! Hey, tsé la fille... a va-tu venir?

MANON

(*Boucle d'oreille rouge.*) Sylvie!... j'pense qu'a peut pas.

FRANÇOIS

Shocks!

CATHERINE

T'as un œil sur Sylvie Beaudoin? Moi, je la trouve pas assez groundée, c'te fille-là!

FRANÇOIS

Groundée?

CATHERINE

Laisse faire, tu peux pas comprendre.

FRANÇOIS

Est super!

MANON

T'a connais mal, Catherine. Elle est tellement correcte.

CATHERINE

François a l'air de ton avis.

FRANÇOIS

Est super, O.K.! là!

CATHERINE

O.K.!

Coups de tête.

MANON

J'vas répondre.

SYLVIE

Allô!

MANON

Sylvie, t'es venue!

SYLVIE

Y voulait pas que j'vienne mais j'suis v'nue pareil... j'me suis sauvée.

MANON

Comment t'as fait ça?

SYLVIE

Très simple! Y'm'ont envoyée dans ma chambre pis j'suis passée par la fenêtre.

Rires.

MANON

Hey! viens dans salle de bains t'arranger un peu, t'as l'air du yable!

SYLVIE

Ben, j'ai pas eu l'temps.

MANON

Je l'sais, je l'sais... Veux-tu un coke?

SYLVIE

J'ai ma cruche de jus de raisin.

MANON

Oh! Welch! Ouache!

SYLVIE

J'me disais que t'en n'aurais pas, fait que j'en ai acheté en m'en v'nant.

MANON

J'me demande comment tu fais pour boire ça.

SYLVIE

Ta mère est-tu ici?

MANON

Tu folle, toi? J'ai eu assez d'misère à la faire sortir. Imagine-toi donc que Madame avait décidé de passer la soirée à la maison: «J'ai un peu mal à tête, j'vas rester ici, lire un peu, prendre un bain... Ah! j'vous dérangerai pas.» «NO» que j'y ai dit, pis j'y ai donné deux aspirines. Hey! vois-tu ça, toi, ma mère à mon party.

SYLVIE

Pis t'as réussi à la convaincre?

MANON

Je l'ai eue à l'usure. Pis quand est partie, j'y ai dit: «Rentre tard, sinon j'vas être ben ben inquiète.»

Si tu grouilles tout'l'temps comme ça, ton maquillage va être tout croche... Hey! comment tu vas faire pour rentrer chez vous?

SYLVIE

J'vas coucher ici... J'peux-tu?

MANON

You bet! Non mais, t'sais j'l'aime ben ma mère, mais des fois chu tannée de l'avoir tout le temps sur les talons. Ça t'arrive pas, toi?

SYLVIE

Ça s'rait plutôt mon père. (*Pressée de changer de sujet.*) Hey! ça l'air fou c'te peignure-là!

MANON

Non non, c'est beau!

SYLVIE

Hey! Niaise-moi pas.

MANON

Chu sûre que François va trouver ça ben ben beau...

SYLVIE

Y est-tu là?

MANON

Oui, madame. Y'est arrivé tu seul pis y'avait l'air ben déçu que tu sois pas là!

SYLVIE

Ah! bon!

Silence.

MANON

J'comprends pas pourquoi ton père voulait pas qu'tu viennes à mon party; me semble que c'est pas son genre.

SYLVIE

Arrête donc de dire des niaiseries.

MANON

Y devait sûrement avoir une bonne raison pour que tu viennes pas au party.

SYLVIE

Oui... peut-être. Bon, envoye! on va aller rejoindre les autres.

Elles vont rejoindre la gang.

SYLVIE

Salut!

FRANÇOIS

Salut!

CATHERINE

Ah! ben, Sylvie Beaudoin! Est bonne, celle-là! Es-tu passée par la cheminée?

SYLVIE

C't'en plein ça! On peut rien te cacher!

FRANÇOIS

Bon ben, moi, j'ai soif!

SYLVIE

Veux-tu du jus de raisin?

CATHERINE

Du jus de raisin, toi!

FRANÇOIS

Non merci. J'vas prendre une bière.

SYLVIE

Tu sais pas c'que tu manques!

FRANÇOIS

J'haïs ça, du jus de raisin, j'aime mieux une Bud.

MANON

Moi, j'aime mieux la Miller!

CATHERINE

Ça goutte tout' pareil!

Regards vers le côté cour.

MANON

J'vas aller répondre au téléphone.

Retour face au public.

FRANÇOIS

Y l'ont retrouvé trois jours après dans un fond d'cour...

CATHERINE

Y l'avait attaché pis battu...

FRANÇOIS

Ça faisait trois jours qu'y était là... Y'avait rien mangé.

CATHERINE

C'est dégueulasse, hein! C'comme le gars à Beaconsfield qui a essayé de violer une waitress dans un restaurant.

SYLVIE

Moi, y a une fille que j'connais à qui c'est arrivé mais avec son père.

CATHERINE

Avec son père!

FRANÇOIS

Y a essayé de violer sa fille?

SYLVIE

Oui. Y était toujours après elle. Y voulait jamais qu'a sorte d'la maison, qu'a voye d'autre monde. Y était jaloux. Y allait dans sa chambre pis y a forçait. Y lui demandait toutes sortes d'affaires. Elle, a voulait pas, mais lui, y continuait pareil.

CATHERINE

Pis sa mère… elle savait pas c'qu'y s'passait?

SYLVIE

Oui… la fille lui avait dit mais sa mère voulait pas la croire; elle disait que tout c'qu'a voulait, c'tait d'faire d'la chicane dans famille. Pis que si jamais son père pis sa mère se séparaient ça s'rait d'sa faute.

FRANÇOIS

Pis comment ç'a fini?

SYLVIE

Ç'a fini que… Ç'a pas fini, ça continue.

CATHERINE

C'est qui, c'te fille-là?

SYLVIE

Tu la connais pas; c'est l'amie d'une de mes cousines.

CATHERINE

Pourquoi qu'a s'sauve pas de chez eux?

SYLVIE

Ben où tu voudrais qu'elle aille?

CATHERINE

Ben j'sais pas moi… n'importe où!

SYLVIE

Ouin! Facile à dire.

FRANÇOIS

Ben, c'pas pire que d'rester chez eux pis de continuer à s'faire taponner par son père.

SYLVIE

J'sais ben.

CATHERINE

En tout cas, moi, si ça m'arrivait, j'me laisserais pas faire de même.

FRANÇOIS

Qu'est-ce que tu f'rais?

CATHERINE

J'y pèterais la gueule.

MANON

Hey gang! On va avoir d'la visite.

CATHERINE

Qui?

MANON

Ton père, Sylvie.

SYLVIE

Manon, tu y as pas dit que j'étais ici?

MANON

Ben, j'avais pas le choix. Y savait ben que t'étais ici, voyons!

SYLVIE

Faut que j'm'en aille.

MANON

Écoute, Sylvie, y a promis qu'y t'engueulerait pas.

FRANÇOIS

Sac! c'est pas du jus de raisin. C'est du vin!

CATHERINE

Ah! ben, tu fais dur, Sylvie Beaudoin!

MANON

Ça fait trois heures que tu bois du jus de raisin, tu dois commencer à être paquetée!

SYLVIE

Non, chu pas paquetée... chu malade, parzempe!

CATHERINE

Ah! moi, chu pas capable de voir ça!

MANON

Vas-y, Sylvie.

FRANÇOIS

Envoye! Ça va te faire du bien.

SYLVIE

Bon, ça va mieux là, aaaaaaaaaaaaah!

FRANÇOIS

Qu'est-ce qu'on peut faire?

MANON

Une serviette d'eau froide, on va la laver.

SYLVIE

Non non, laisse faire. C'est fini làaaaaaaaa.

FRANÇOIS

Ah! bon!

MANON

Ça finit ou ça commence?

SYLVIE

Ah! t'es pas drôle, Manon! aaaaaaaaaaaah!

FRANÇOIS

Frotte-la dans l'dos, Manon, ça va lui faire du bien.

MANON

Toi aussi, tu peux la frotter dans le dos, ça va te faire du bien.

FRANÇOIS

Han han! que t'es drôle... Ça va-tu mieux, là?

SYLVIE

Oui oui... C'est correct.

MANON

Veux-tu ben m'dire pourquoi t'as bu comme ça? Quessé qu'tas, Sylvie?

SYLVIE

Rien.

MANON

Hey! Essaye pas, Sylvie Beaudoin. Ça fait assez longtemps que je te connais pour savoir qu'y a queque chose qui va pas. Pis depuis déjà un bon bout de temps.

SYLVIE

Y'a rien, j'te dis.

MANON

Hey! Fais-moi-z'en pas accroire. Qu'est-ce qu'y a? T'es malade? T'es enceinte?

On sonne à la porte.

SYLVIE
C'est lui!

MANON
Va donc répondre, François, pis occupe-toi de lui…

SYLVIE
Dis-y que j'suis partie, O.K.?

FRANÇOIS
Aie pas peur. J'lui dirai pas qu't'as été malade.

François sort. Sylvie prend Manon dans ses bras.

SYLVIE
Ah! Manon… je l'sais pu quoi faire… j'me sens perdue.

MANON
Mais qu'est-ce que t'as?

SYLVIE
J'veux pas l'voir.

MANON
Mais pourquoi?

SYLVIE
ARRÊTE… TU L'CONNAIS PAS. Tu l'sais pas toi c'qu'y m'fait. Y a l'air ben fin d'même, mais si tu savais ce qui…

Elle s'arrête.

MANON
Qu'est-ce qu'y te fait?

SYLVIE

Rien... oublie ça... j'sais pus c'que j'dis.

MANON

Non... tu vas finir c'que t'as commencé. Qu'est-ce qu'il te fait, ton père?

SYLVIE

J'peux pas... j'peux pas te l'dire.

MANON

Oui, tu peux...

SYLVIE

Non, tu peux rien faire.

MANON

Qu'est-ce que t'en sais... bon tu me l'dis-tu?

SYLVIE

J'suis pas capable.

MANON

Je l'dirai à personne.

SYLVIE

J'peux pas.

MANON

Bon ben, si tu veux pas me l'dire.

SYLVIE

Non, Manon, laisse-moi pas toute seule... Y... y m'touche.

MANON

Y t'touche... y t'bat?

SYLVIE

Non, y m'touche... y met ses mains sur moi... partout sur moi...

MANON

Ton père?

SYLVIE

Tu m'crois pas... comme ma mère! Tu penses que j'invente!

MANON

Oui oui, j't'crois.

SYLVIE

Si tu savais comme je l'haïs quand y me fait ça. Y met ses mains sur moi, y devient comme une bête, y respire fort, y souffle, ses yeux sont fous pis quand y m'force à faire des choses... j'voudrais mourir... j'voudrais l'tuer... Pis y est tellement jaloux, c'est pour ça qu'y voulait pas que j'vienne à ton party. Y est jaloux de tout ce que j'fais... jaloux de tout le monde que j'vois en dehors de lui. Y veut m'garder pour lui tout seul. Y dit que j'lui appartiens, que j'suis sa fille... j'suis plutôt sa chose...

Aide-moi, aide-moi, Manon. Laisse-le pas m'emmener. Laisse-moi pas.

MANON

Ben non, j'te laisserai pas... j'te lâcherai pas. Ce soir, tu couches ici. Viens.

SYLVIE

Merci.

RAP 6

Un jack knife un bat' de baseball.
Une barre de fer qui scrappe un char.

Casser une porte la réparer.
Fumer du pot se faire pogner.

Pas chialer faire la vaisselle.
Pas rien dire faire l'amour dans ruelle.

Une caisse de bières s'paqueter la fraise.
J'vas être malade donne-moi une chaise.

Écrire sur le mur j'vas r'virer fou.
Lâcher l'école passe-moi trente sous.

Char de police foyer d'accueil.
Ferme ta canisse ouvre le bon œil.
M'as m'arranger pas que ça fasse mal.
Ou ben je r'commence la murale.
Je pars je reste ou ben j'me cache.
Mais j'veux que toute la planète le sache.
Tu t'pompes tu t'fâches.
J'me grouille j'me pousse.
Toujours pas d'amour à mes trousses.

BLACK OUT.

Michel, Line, Sylvie et Danielle rentrent dans la Maison des Jeunes avec des lampes de poche. La nuit. Marc rentre avec une lampe à l'huile, redresse les panneaux pour former la murale sur laquelle on peut lire «s.o.s.». Michel souligne le contour avec du bleu. Sur une bande, on entend:

Une adolescente de seize ans, Dominique Miron, est disparue du domicile de ses parents depuis le 25 septembre. Elle mesure 1m60 et pèse environ 54 kilos. Elle a les yeux verts, les cheveux bruns bouclés avec une mèche rousse à l'avant. Au moment de sa disparition, elle portait un jean bleu, un t-shirt blanc, une veste noire très ample et des espadrilles bleues. Toute personne pouvant fournir des renseignements sur Dominique est priée de contacter la police.

MARC

J'vas vendre mes disques.

La musique s'arrête et Michel, Line Sylvie et Danielle passent au travers des panneaux de papier.

BLACK OUT.

Après le spectacle:
questions sur les personnages

MICHEL

1) Michel est-il négatif, envieux, enfantin? Pourquoi?
2) Pourquoi son jack-knife?
3) Pourquoi Michel parle-t-il sans arrêt de s'en aller et pourquoi ne part-il pas?
4) Quelle est son attitude face à la drogue? Face au vol?
5) De quel milieu familial Michel vient-il? Est-il en harmonie avec sa famille?
6) Que pensez-vous du futur de Michel? Que va-t-il devenir?
7) Suite à la scène de famille, croyez-vous que Michel va revenir souper? Ou va-t-il vraiment fuguer?
8) Quelle est la perception qu'ont les autres de Michel?

MARC

1) Quels sont les rapports de Marc avec sa mère?
2) Quels sont les rapports de Marc avec son beau-père?
3) Pourquoi rejette-t-il son milieu familial?
4) Qu'a-t-il en commun avec les autres jeunes?
5) Quels moyens Marc utilise-t-il pour survivre?
6) La loi prévoit que Marc sera confié à un foyer d'accueil. Êtes-vous d'accord et pourquoi?

7) En quoi le contexte socio-économique de Marc influence-t-il son comportement?

8) Est-ce que le fait qu'il n'est pas majeur est un prétexte à le contrôler?

LINE

1) Si vous deviez définir le caractère de Line, quelles qualités et quels défauts vous sembleraient évidents?

2) Parce qu'elle travaille, Line a-t-elle un statut particulier dans la gang?

3) Les gens de la Maison des Jeunes sont-ils ses véritables amis?

4) Line considère qu'elle n'a aucun(e) ami(e) chez McDonald. Pourquoi?

5) Que pensez-vous des autres employés qui travaillent avec Line?

6) En laissant tomber son emploi, d'après vous, qu'est-ce que Line gagne et que perd-elle?

7) Pour vous, est-ce important d'aimer son travail et de s'y sentir valorisé?

DANIELLE

1) De quel milieu social vient Danielle?

2) Pourquoi Danielle défie-t-elle toujours l'autorité?

3) Avant de défier Martin, l'animateur, ou les deux policiers, a-t-elle, d'après vous, défié ses parents? Si oui, pourquoi?

4) Que représente le chien Dégât? Ce chien est-il imaginaire? Remplace-t-il la famille de Danielle? Est-il l'autorité qu'elle se donne pour être aussi forte que les adultes?

5) La crise de Danielle, lorsqu'elle décrit sa famille, touche à des thématiques qui font peur aux policiers (la maladie physique, la maladie mentale, l'homosexualité, le bien-être social, le ménage à trois, la vieillesse, etc.). Qu'est-ce qui, dans ces thèmes, fait peur à la société et pourquoi?

6) La crise de Danielle la libère-t-elle de quelque chose ou la rend-elle encore plus insécure?

SYLVIE

1) Décrivez en deux lignes ce qu'est l'inceste.

2) Selon vous, dans quelles couches de la société retrouve-t-on les familles incestueuses?

3) Selon vous, Sylvie vit ce problème depuis combien de temps?

4) Quels sentiments Sylvie éprouve-t-elle pour son père?

5) Pourquoi ne se confie-t-elle à personne?

6) Devrait-on continuer à se taire ou le dire? Si oui, à qui et pourquoi?

7) Lorsqu'elle dévoile l'inceste, quels risques court-elle? De quelles ressources dispose-t-elle?

**LA COMMISSION
DES ÉCOLES CATHOLIQUES
DE MONTRÉAL**

CĒCM

Le 4 octobre 1984

Madame Annie Gascon
Théâtre Petit à Petit
C.P. 246
Succursale De Lorimier
Montréal, Québec
H2H 2N6

Madame,

Conformément à la résolution XX de la Session régulière du ler décembre
1982 du Conseil des commissaires concernant les responsabilités du Comité de lecture quant aux choix des pièces de théâtre offertes aux élèves
de la C.E.C.M., celui-ci a décidé de ne pas recommander la pièce de théâtre
"Sortie de secours" du théâtre Petit à Petit.

Veuillez noter que ce refus s'adresse à la présente pièce et non à la
qualité de votre organisme.

Respect et dévouement

Pierre Piché
Conseiller pédagogique à la vie étudiante
598-6340

PP/sn

c.c. Comité de lecture

CET OUVRAGE
COMPOSÉ EN GARAMOND RÉGULIER CORPS 12 SUR 14
A ÉTÉ ACHEVÉ D'IMPRIMER
LE SIX AVRIL MIL NEUF CENT QUATRE-VINGT-SEPT
PAR LES TRAVAILLEURS ET TRAVAILLEURS DES PRESSES
DE L'IMPRIMERIE MARQUIS
À MONTMAGNY
POUR LE COMPTE DE
VLB ÉDITEUR.

IMPRIMÉ AU QUÉBEC (CANADA)